NIEDER-ÖSTERREICH

Sehenswürdigkeiten
Kunst • Kultur • Natur

KOMPASS
Kultur-Reiseführer

Inhaltsverzeichnis

	Seite
Niederösterreich im geographischen Überblick	4
Geologie	5
Geschichte	8
Die Kunst in Niederösterreich	10
Ortsbeschreibungen in alphabetischer Reihenfolge	12
Die Donau und die Wachau	129
Die Entwicklung der Baustile	134
Ortsverzeichnis	142

Für den interessierten Kunstliebhaber empfehlen wir folgende Literatur:

Baedeker Allianz Reiseführer Österreich — Mairs Geographischer Verlag, Ostfildern
Dehio Niederösterreich — Verlag Anton Schroll, Wien – München
Knaurs Kulturführer Wachau — Droemer Knaur, München
KOMPASS-Kulturreiseführer Die Wachau und ihre Sehenswürdigkeiten, H. Fleischmann, Geogr. Verlag, Starnberg
Reclams Archäologieführer Österreich und Südtirol — Philipp Reclam jun., Stuttgart

Bildnachweis:
Alpine Luftbild: S. 24, S. 26, S. 38, S. 62; Bartl: S. 116; Stadtgemeinde Dürnstein: S. 31; Foto Gartler: S. 21; Dr. Grünert: S. 32, S. 44, S. 72, S. 88; S. Hofstetter: S. 82, S. 107, S. 109, S. 111; Kraml: S. 13, S. 78; Lauzensky: S. 100; FVV Maria Taferl: S. 76; Stadt Pöchlarn: S. 93; VA St. Pölten: S. 105; Schön: S. 49, S. 52, S. 96, S. 121; Schüler: S. 75; S. Schwarz: S. 80; Simoner: S. 34, S. 86; R. Teutsch: S. 56, S. 89; M. Zell: S. 92.

Bearbeitung: Ulrich Düllo
Geologie: Dr. I. Fleischmann-Niederbacher
Kartographische Bearbeitung: Heinz Fleischmann, Kartographisches Institut München

Wir danken den Gemeinden Niederösterreichs für die freundliche Unterstützung bei der Beschaffung von Unterlagen.

Alle Angaben ohne Gewähr!

© Heinz Fleischmann GmbH & Co., Geographischer Verlag, D-8130 Starnberg, 4. Auflage 1993
Verlagsnummer 272
ISBN 3-87051-453-1

NIEDERÖSTERREICH

Maßstab 1:2 300 000

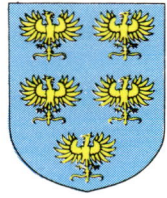

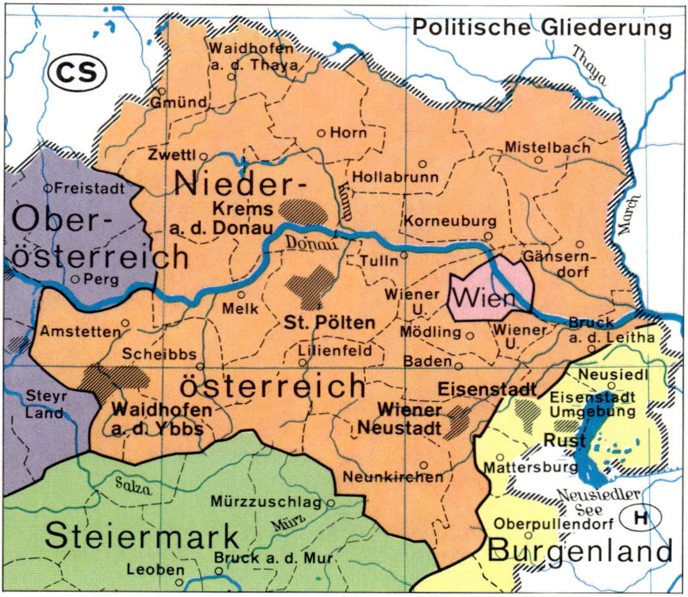

			über 1 000 000 Einwohner
	Staatsgrenze		100 000 - 250 000 Einwohner
	Landesgrenze		50 000 - 100 000 Einwohner
	Bezirksgrenze		20 000 - 50 000 Einwohner
○	Sitz der Bezirkshauptmannschaft	○	5 000 - 20 000 Einwohner
	Städte mit eigenem Statut	○	unter 5 000 Einwohner
U.	Umgebung		Wichtige Bahnlinie

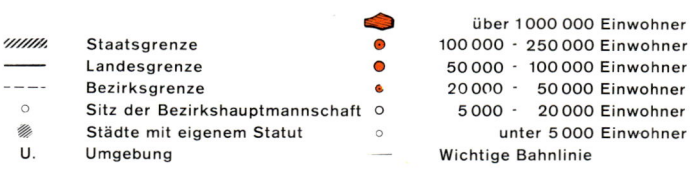

Niederösterreich im geographischen Überblick

Niederösterreich (NÖ) ist mit 19 171 km² das größte österreichische Bundesland. Es grenzt im Süden an die Steiermark, im Westen an Oberösterreich, im Norden und Osten an die Tschechoslowakei und im Südosten an das Burgenland. Die österreichische Hauptstadt Wien ist von Niederösterreich umschlossen. Seit 1986 ist St. Pölten durch Wahl der Bürger Niederösterreichs und Beschluß der Landesregierung Landeshauptstadt.

Die Donau teilt das Land von Westen nach Osten in zwei nahezu gleich große Gebiete. Nördlich des Flusses liegen das hügelige Waldviertel und östlich von diesem das Weinviertel.

Das Waldviertel hat seinen Namen vom früheren Waldreichtum der Gegend. Die felsige Hochfläche von 400 – 700 m Höhe hat im Westen ein rauhes Klima, im östlichen Teil ist es milder. Das Gebiet liegt etwas abseits vom Fremdenverkehr, und wer wirklich Ruhe und Erholung sucht, findet hier sicherlich beides. Die größten Flüsse sind Großer und Kleiner Kamp sowie Thaya.

Das sich östlich anschließende Weinviertel wird vom langgestreckten Rücken des Manhartberges vom Waldviertel getrennt. Verschiedene Berggruppen ragen wie Inseln (bis 500 m) aus der 200 – 400 m hohen Hochfläche. In den breiten Tälern wird auf den fruchtbaren Lößhängen vorwiegend Wein angebaut. Im Osten des Landes liegen die Erdölfelder von Matzen und Zistersdorf.

Zwischen Melk und Krems liegt an der Donau die Wachau. Der Fluß bildet hier ein enges malerisches Felsental. Burgen, Ruinen und Weinberge um die Städtchen prägen diese Landschaft. Der meistbesuchte Ort ist wohl Dürnstein und einer der berühmtesten Willendorf, der Fundort der „Venus von Willendorf", einer Frauenfigur aus der Altsteinzeit.

Nördlich der Donau liegt zwischen Wien und March das Marchfeld. Diese große Ebene Niederösterreichs wird als Kornkammer Österreichs bezeichnet. Das Landschaftsbild prägen Föhrengehölze zwischen Getreide- und Zuckerrübenfeldern. Bei Gänserdorf liegt Österreichs einziger Safaripark.

Im Süden schließt das Donauland an das Marchfeld an. Das flache Land wird vom breiten Band der Donau geprägt. Bekanntester Ort ist Bad Deutsch-Altenburg, dessen Schwefelquelle schon von den Römern genutzt wurde.

Südlich der Donau beginnt das niederösterreichische Voralpenland. Die wichtigsten Täler sind das Ybbs-, Erlauf-, Pielach- und das Traisental. Besondere Anziehungspunkte im Ybbstal sind mittelalterliche Städtchen und romantische Kleinbahnen. Der Erlaufsee ist der größte Alpensee Niederösterreichs. Durch das Pielachtal führt die Mariazeller Schmalspurbahn und durch das Traisental der Pilgerweg zum Kloster Mariazell. Die umliegenden Berge sind beliebte Skigebiete.

Der Wienerwald, das Erholungsgebiet der Wiener und Niederösterreicher, umschließt das Gebiet zwischen Tullnerfeld und Wiener Becken,

Donau und Triestingtal. In diesem 1250 km² großen Areal ist der Schöpfl mit 893 m die höchste Erhebung.

Der westliche Teil Niederösterreichs hat mitteleuropäisches Übergangsklima, d. h. Westwinde und reiche Niederschläge. Der Sommer ist im Waldviertel oft kühler als in anderen Gegenden, im Winter fällt viel Schnee. Auch die Alpenregionen sind schneereich. In den windgeschützten Tälern an der Donau ist es wesentlich milder, besonders Frühling und Herbst sind wärmer. Im Osten des Landes herrscht typisches Kontinentalklima mit heißen Sommern und kalten Wintern. Durch die geringen Niederschläge im Sommer trocknet der Boden hier sehr aus.

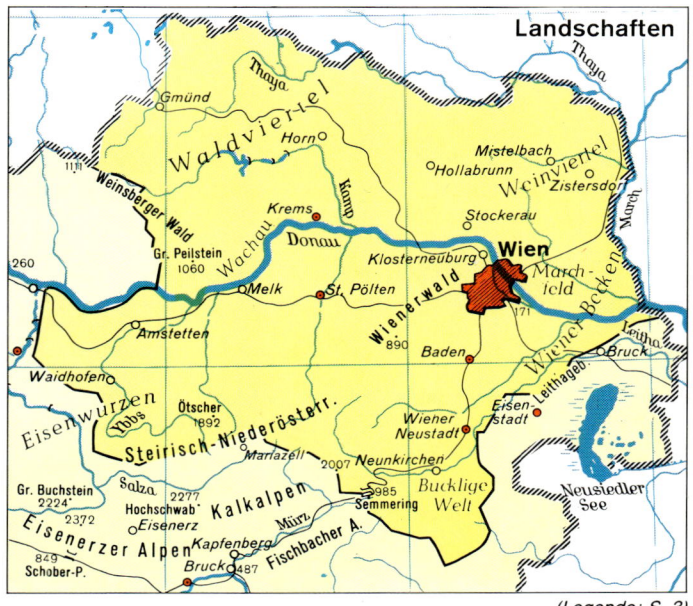

(Legende: S. 3)

Das Wiener Becken ist das größte Gewerbegebiet Österreichs. Auch fossile Energieträger wie Erdöl und Kohle werden hier gefördert. Die wirtschaftliche Palette Niederösterreichs wird durch die sehr leistungsfähige Landwirtschaft ergänzt (Weinbau!). Eine immer größere Bedeutung gewinnt der Tourismus.

Geologie

Die vielfältigen Landschaftsformen des größten Bundeslandes von Österreich können durch den Aufbau des Untergrundes und seine geologische Geschichte erklärt werden.

Das Waldviertel zählt geologisch zum eingeebneten Rumpfgebirge der

Böhmischen Masse, dem riesigen Kristallinareal im Herzen Europas, das der variszischen Gebirgsbildung vor rund 500 Millionen Jahren seine Entstehung verdankt. Hier findet man ein weitgestreutes Spektrum von kristallinen und metamorphen Gesteinen, wie Granite, Gneise, Glimmerschiefer, Amphibolite, Granulite und Marmorzüge. Das alte Grundgebirge sinkt gegen Süden und Südosten ab und wird von jüngeren Gesteinen verhüllt. Im Süden des Waldviertels grub sich die Donau durch das Kristallin und trennte den Dunkelsteiner Wald morphologisch vom Rest der Böhmischen Masse. Nach diesem landschaftlich einzigartigen Durchbruch der Wachau, tritt die Donau in das flachhügelige Alpenvorland, die Molassezone, ein. Diese Zone besteht aus tertiären Sedimenten (Schotter, Sande, Tone), die den Abtragungsschutt der bei der Gebirgsbildung vor ca. 40 – 20 Millionen Jahren aufgestiegenen Alpen und der Böhmischen Masse darstellen. Sie erstreckt sich von Westen kommend über St. Pölten, Tullner Feld ins Weinviertel. Im weiteren Verlauf durchschneidet die Donau bei Greifenstein – Klosterneuburg die Flyschzone, durchquert das Wiener Becken, gräbt sich durch die Hainburger Berge und verläßt schließlich Österreich. Nordwestlich der Flyschzone treten perlschnurartig aufgereihte Gesteine, z. B. die Stazer Klippe, aus dem tieferen Untergrund (mesozoische Karbonate) auf, die durch gebirgsbildende Bewegungen an ihren heutigen Platz gelangt sind.

Das Wiener Becken, das zu $2/3$ in Niederösterreich und zu $1/3$ auf tschechischem Gebiet liegt, ist das Bindeglied zwischen den Ostalpen und den Karpaten. Hier entstand im Tertiär ein Einbruchsbecken, dessen Untergrund bis zu 5000 m tief absank, während es gleichzeitig mit Sedimenten aufgefüllt wurde. Das Meer bedeckte zur damaligen Zeit große Teile Niederösterreichs. So kann man z. B. in Sand- und Tongruben rund um Wien Haifischzähne, Muscheln und Schnecken finden.

Die Kalkalpen, die im Rax- und Schneeberggebiet Gipfel bis 2000 m aufbauen, und die Flyschgesteine des Wienerwaldes lassen sich am Beckenuntergrund bis in die CSSR verfolgen. Das Wiener Becken hat entscheidende wirtschaftliche Bedeutung. Hier liegen die größten Erdöl- und Erdgasvorkommen Österreichs. Den Westrahmen des Wiener Beckens südlich der Donau bilden die Flyschzone und die Kalkalpen.

Im Rax- und Schneeberggebiet liegen die Quellen für die Trinkwasserversorgung Wiens. An den Bruchflächen (Thermenlinien) zum Wiener Becken treten in der Gegend von Baden warme Quellen auf. Die Kristallingebiete Semmering, Bucklige Welt, Rosalien- und Leithagebirge grenzen das Wiener Becken im Süden und Südosten ab.

Während der Eiszeiten war Niederösterreich weitgehend eisfrei. Der im Vorfeld der Gletscher abgelagerte Moränenschutt und die Schotterfluren wurden vom Wind ausgeblasen. Der staubfeine Sand wurde viele Kilometer weit verfrachtet und bedeckt heute weite Flächen des Weinviertels. Dank dieses fruchtbaren Untergrundes gedeihen hier trotz des eher kontinentalen Klimas vollmundige Weine.

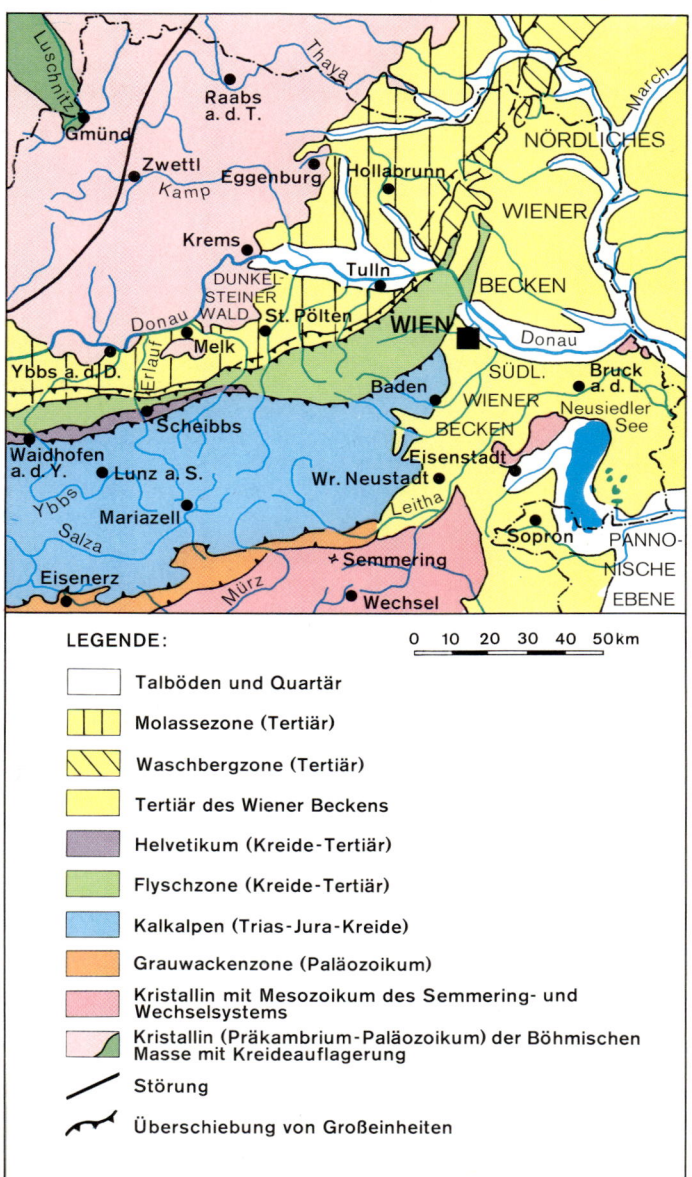

Geschichte

Schon in prähistorischer Zeit war Niederösterreich besiedelt, wie Funde aus der Wachau beweisen. Geschichtlich stellt Niederösterreich das Kernland Österreichs dar.

Ende des 2. Jahrtausends v. Chr. verdrängten die indogermanischen Illyrer die einheimische Urbevölkerung. Um 400 v. Chr. kamen die Kelten ins Land und die Hallstattkultur hielt auch in Niederösterreich Einzug. Die keltischen Stämme im Lande schlossen sich Ende des 2. Jahrhunderts v. Chr. zum Königreich Noricum zusammen.

Auf die Kelten folgten die Römer, die auf dem Gebiet des heutigen Niederösterreich die Provinzen Noricum und Pannonia superior gründeten. Im Jahre 6 n. Chr. entstand das Militärlager Carnuntum. In der Folgezeit stand das römische Lager immer wieder in heftigen Kämpfen mit Germanen und Jazygen. Zwischen 150 und 180 n. Chr. überrannten Markomannen und Quaden die Grenze und drangen bis Italien vor. Kaiser Marc Aurel stellte jedoch die alte Grenze wieder her und starb im Jahre 180 in Wien. Um 355 wurde Carnuntum von den Germanen völlig zerstört. Die Völkerwanderungszeit brachte 395 durch den Ansturm von Markomannen, Goten, Quaden und Alanen der Römerherrschaft das Ende.

In der Folgezeit war Niederösterreich wiederholt Schauplatz kriegerischer Auseinandersetzungen durchziehender Stämme. Der Ansiedlung bajuwarischer Stämme im 6. Jh. wurde durch das Eindringen der Awaren und Slawen ein Ende bereitet. Während langer Kämpfe in der Zeit von 791–797 gelang es dann Karl dem Großen diese Völker zu besiegen und seine Herrschaft über das Land zu festigen, die karolingische Ostmark entstand und wurde Ausgangspunkt für die Entwicklung Österreichs.

In den folgenden Jahren wurde Niederösterreich mehrfach von dem Reitervolk der Ungarn heimgesucht und verwüstet, bis sie Otto der Große 955 auf dem Lechfeld bei Augsburg vernichtend schlug. 976 verlieh Otto II. dem Babenberger Grafen Leopold die Ostmark. Damit begann die Babenbergerherrschaft, Melk wurde zur ersten Hauptstadt erhoben. 1043 wurde die Leitha als Grenze zu Ungarn festgelegt. Friedrich Barbarossa erhob 1156 „Ostariche" zum erblichen Herzogtum. Erster Herzog war der Babenberger Heinrich II. Jasomirgott. 1192 erbten die Babenberger die Steiermark, die dann für längere Zeit bei Niederösterreich blieb. 1246 erlosch mit Friedrich II. das Haus Babenberg, und die Böhmen unter Ottokar I. Przemysl eroberten das Land. Als Graf Rudolf von Habsburg 1273 zum deutschen König gewählt wurde, schlug er 1278 Ottokar in der Schlacht auf dem Marchfeld, und 1282 begann dann die Herrschaft der Habsburger, die zum Schutze des Landes gegen die Ungarn zahlreiche Burgen errichteten.

In den folgenden Jahren wurde das Land durch Erbstreitigkeiten immer wieder von Kriegen heimgesucht und auch die Hussitenkriege berührten mehrfach den Nordwesten Niederösterreichs. 1479–1490 zogen die erneuten Eroberungszüge der Ungarn unter Matthias Corvinus

Geschichtliche Entwicklung

- 955 als Grenzwall gegen Einfälle aus dem Osten vorgesehen 996 erhält dieser Raum die Bezeichnung „Ostarrichi"
- Erweiterungen unter den Babenbergern (976-1246)
- Erweiterungen unter den Habsburgern (1282-1918)
- 1921 nach Volksabstimmung Vereinigung mit Österreich

das Land in Mitleidenschaft. Sie eroberten fast ganz Niederösterreich und erst nach Corvinus' Tod stellte der spätere Kaiser Maximilian I. die Herrschaft der Habsburger wieder her. 1529 rückten dann die Türken bis Wien vor und verwüsteten das Land. Handel und Wirtschaft entwickelten sich jedoch im 16. Jh. zu hoher Blüte. Im 16./17. Jh. setzte sich bei Landadel und Bevölkerung vielfach die Lehre der Reformation durch, und heftige Religionskriege erschütterten das Land. 1594 lehnten sich protestantische Bauern gegen ihre Herren auf und plünderten zahlreiche Klöster. 1595 wurden sie aber in der Schlacht bei St. Pölten vernichtend geschlagen. Im 30jährigen Krieg wurde Niederösterreich wieder schwer heimgesucht. Gegen Ende besetzten die Schweden fast das ganze Land. 1679 brach die Pest aus. 1683/84 standen die Türken wieder vor Wien und verwüsteten das Umland. 1703 drangen die Karuzzen erobernd bis Wien vor. Anfang des 18. Jhs. begann ein spürbarer Aufschwung unter den Kaisern Leopold I., Karl VI. und der Kaiserin Maria Theresia. Es wurden erste Fabriken gebaut und die Architektur erlebte eine Blütezeit. Diese hielt trotz des österreichischen Erbfolgekrieges (1771) an, bis die Franzosenkriege 1805 und 1809 auch Niederösterreich in Mitleidenschaft zogen. In der Schlacht bei Walgram wurden die Österreicher 1809 von Napoleon besiegt und das Land im Frieden von Schönbrunn seiner Großmachtstellung beraubt. Die folgende Zentralisierung der Macht machte auch der Selbständigkeit Niederösterreichs ein Ende. Nachdem 1918 die Donaumonarchie zerfallen war, wurde Niederösterreich ein eigenes Bundesland, 1920 wurde Wien abgetrennt. Seitdem ist Niederösterreich das einzige Bundesland ohne eigene Hauptstadt, da die Verwaltung in Wien blieb. Zur Zeit der Angliederung an das Deutsche Reich (1938 – 45) bekam Niederösterreich den Namen Gau Niederdonau, das nördliche Burgenland wurde angegliedert. Die sowjetische Besatzung nach dem Zweiten Weltkrieg hemmte bis zum Abschluß des Staatsvertrages 1955 den Wiederaufbau des schwer zerstörten Landes. Nach 1955 begann dann ein großer wirtschaftlicher und kultureller Aufschwung. Das Bundesland Niederösterreich teilt seitdem die Geschicke der Republik Österreich. Fremdenverkehr und Industrie erlebten einen großen Aufschwung. 1977 trat Niederösterreich ins Rampenlicht der Öffentlichkeit, als Protestdemonstrationen die Schließung des einzigen österreichischen Kernkraftwerkes in Zwentendorf (NÖ) forderten. 1978 wurde die Inbetriebnahme durch eine Volksabstimmung verhindert. Im Frühjahr 1986 wählten die Bürger Niederösterreichs St. Pölten als ihre Hauptstadt, was durch die Landesregierung bestätigt wurde.

Die Kunst in Niederösterreich

Die Kunstgeschichte Niederösterreichs beginnt schon in vorgeschichtlicher Zeit. Der bekannteste Fund ist wohl die „Venus von Willendorf", eine rund 26 000 Jahre alte Kalksteinstatuette, die das älteste Kunstwerk Österreichs darstellt. Dieses Symbol der Fruchtbarkeit wurde bei dem Ort Willendorf in der Wachau gefunden. Grabungsfunde aus der La-Tène-Zeit, die um 400 v. Chr. die Hallstattkultur ablöste, wurden im Gebiet der Leiser Berge gemacht.
Zahlreich sind die Kunstdenkmäler der Römerzeit im niederösterreichischen Raum. Sie kommen vor allem aus der Grenzfestung Carnuntum. Kultbilder, Mosaike u. a. findet man heute in den Museen von Deutsch-Altenburg und Petronell. Reste von Thermenanlagen, Heiligtümern, des Amphitheaters und römischer Wohnhäuser zeugen von einer blühenden Kultur. In der Nähe von Zwentendorf wurde eine Militärbasis aus der gleichen Zeit freigelegt.
Den ersten künstlerischen Höhepunkt nach dem Untergang des Römerreiches bildet die **Romanik.** Dieser Kunststil gelangte von Westen entlang der Donau und über die Bernsteinstraße aus Italien nach Niederösterreich. Höhepunkte erreichte die Romanik in der Stiftskirche von Heiligenkreuz und im Kapitelhaus des Stiftes Zwettl. Viele Bauten wurden in der Gotik und besonders in der Barockzeit stark verändert, aber man trifft noch an vielen Orten auf Relikte aus romanischer Zeit, wie z. B. in den Kirchen von Klosterneuburg und St. Pölten. Auch Kreuzgänge aus der Romanik haben sich erhalten (Heiligenkreuz, Zwettl, Lilienfeld). Die Abtei von Heiligenkreuz (gegr. 1133) besitzt eine Kirche mit romanischem Langhaus (Chor und Gewölbe gotisch). Die Kirche des Klosters Lilienfeld (gegr. 1202) geht in ihrem Stil bereits in die Gotik über. Die Barockisierung des Stiftes Zwettl (geweiht 1129) überstanden nur Reste der einst großartigen romanischen Anlage: Kapitelsaal (1159–1180), die Stiftskapelle (1218) und der Kreuzgang (1180–1240). Zahlreich erhalten sind in Niederösterreich die romanischen Karner, so u. a. in Hainburg, Tulln und Mistelbach. Ein Höhepunkt der Spätromanik ist die Pfarrkirche von Schöngrabern im Weinviertel. An Profanbauten sind nur die Ruinen mehrerer Burgen aus romanischer Zeit erhalten. Schönstes Beispiel der Kleinkunst ist der Verduner Altar im Stift Klosterneuburg. Buch- und Glasmalerei erlebten in der Romanik erste Höhepunkte (Handschriften im Stift Heiligenkreuz). Erst um 1250 setzt sich dann in Niederösterreich die **Gotik** durch.

Auch ihre Fortentwicklung vollzieht sich hier nicht so rasch als im übrigen Europa. Sie entfaltete sich erst im 15. Jh. voll und wirkte fort bis ins 16. Jh. hinein, als sich im übrigen Europa bereits die Renaissance durchsetzte. Die Frühgotik vermischte sich häufig noch mit romanischen Formen, und es entwickelte sich ein formenreicher Mischstil. Man kann ihn heute noch an zahlreichen Kirchen und Klöstern erkennen. Auch hier geben die Klöster Heiligenkreuz, Zwettl und Lilienfeld die besten Beispiele. Der Kreuzgang von Heiligenkreuz (1220 – 1250) zeigt nahezu einen vollständigen Katalog der Formen von der Romanik zur Gotik. Um 1350 entstand der Kreuzgang von Lilienfeld, der größte seiner Art in ganz Österreich. Er ist einheitlich gotisch erbaut. Vielfältige Mischformen von Gotik und Romanik trifft man im Kreuzgang des Stiftes Zwettl an (1180 – 1240). Weitere bedeutende Bauten der Frühgotik sind der Kreuzgang von Klosterneuburg, die Pfarrkirche von Imbach im Kremstal und die ehem. Minoritenkirche von Stein. Die Ostteile der Klosterkirche von Zwettl (1343 – 1383) sind ein schönes Beispiel der Hochgotik. Sie erreichte weitere Höhepunkte im ehem. Karthäuserkloster von Gaming und in den Chören von Heiligenkreuz, Seitenstetten und Ardagger. Starken Einfluß auf die Entwicklung des Baustils hatte die Wiener Bauhütte von St. Stephan, die mit denen von Köln und Straßburg als die bedeutendste genannt wurde. Bedeutende Beispiele für die Spätgotik sind die Kirche von Eggenburg (1482), Krems, Göttweig und Wiener Neustadt. Allerdings erhielten viele Kirchen aus dieser Zeit später eine Barockausstattung. In der Gotik löste sich die Plastik vom ornamentalisch, archaischen Stil und es entstanden Madonnen und Heiligenfiguren, die sich aus der Starrheit lösen und jetzt immer mehr individuelle Züge tragen. Besonders in der Wachau und im Waldviertel haben sich einige Flügelaltäre erhalten, die diese Entwicklung deutlich zeigen. Hervorzuheben ist auch die Fortentwicklung der Tafelmalerei, die als bestes Beispiel in der Rückseite des Verduner Altars aus Klosterneuburg erhalten ist. Die vier herrlichen Tafelbilder befinden sich jetzt im Stiftsmuseum.

Mit Beginn der Neuzeit (Reformation) kam die **Renaissance** nach Niederösterreich. Die künstlerischen Einflüsse kamen jetzt mehr aus Italien und nicht mehr so sehr von Westen her. Ab jetzt wandte man sich mehr dem Profanbau zu, es entstanden Adelspaläste und Festungen. Hier waren die italienischen Meister führend. Schöne Häuser aus der Renaissance gibt es noch in Wiener Neustadt, Krems und Waidhofen an der Ybbs. Bedeutendstes Beispiel der Renaissance-Baukunst Niederösterreichs ist die Schallaburg bei Melk. Sie entstand um 1572 aus einer älteren Anlage und besitzt einen herrlichen Arkadenhof. Frühe Renaissance-Plastiken gibt es ganz in der Nähe in der Kapelle des Schlosses Sierndorf (1516) bei Melk zu sehen. Gute Zeugnisse der neuentdeckten Sgraffitotechnik sind in Krems und Horn erhalten (Fassadenschmuck). Tafelmalerei und Bildhauerei erlebten einen Aufschwung, was sich in Altären und profanen Bildwerken vielerorts zeigt. Ein schönes Beispiel ist der Schnitzaltar von Mauer bei Melk, der die Wandlung von der Gotik zur Renaissance gut zeigt.

Ihren Höhepunkt erlebte die Bautätigkeit im **Barock.** Bereits im Frühbarock wurden prachtvolle Bauten von Klöstern und Schlössern errichtet. Die politische Lage war nach dem Sieg über die Franzosen gesichert, und da die Wirtschaft sich in voller Blüte befand, setzte ein wahrer Bauboom ein. Auch die Festungsbaukunst erreichte weitere Höhepunkte, was in Eggenburg, Wiener Neustadt, Retz und Drosendorf noch zu sehen ist. Der Barockstil setzte sich auch bei Bürger- und Bauernhäusern durch. Zahlreiche schon bestehende Kirchenbauten wurden umgestaltet und im neuen Stil mit Fresken und Stukkaturen ausgestattet. Es entstanden aber auch viele neue Klosterbauten, die durch Kaiser Karl VI. besonders gefördert wurden. Die besten Anlagen aus dieser Zeit findet man heute in Klosterneuburg, Melk, Göttweig und Dürrnstein. Durch den Formenreichtum der Ausstattung wurde die technische Baustruktur immer weiter verdeckt. Die bekanntesten Barockbaumeister, die auch in Niederösterreich wirkten, waren Jakob Prandtauer (1660–1726), er schuf den Neubau von Stift Melk, Josef Munggenast (1680–1741), er baute im Benediktinerstift Altenburg und in Zwettl, und Lukas von Hildebrandt (1668–1745). Bemerkenswertester Bildhauer war Raphael Donner (1693–1741). Eine Blütezeit erlebte auch die Malerei. Bekanntester Niederösterreicher auf diesem Gebiet ist Martin Johann Schmidt (1718–1801), genannt der „Kremser Schmidt". Ferner wirkten in Niederösterreich auch Franz Anton Maulbertsch (1724–1796), der Tiroler Paul Troger (1698–1762), Johann Michael Rottmayr (1654–1730), Daniel Gran (1694–1757), Martin Altomonte (1657–1745), Johann Wenzel Bergl (1718–1789) und Johann Jakob Zeiller (1708–1783). Herrliche Landschaftsbilder von Niederösterreich und Genrebilder aus dem bäuerlichen Leben schuf Friedrich Gauermann (1807–1862). Das Ende des Barockzeitalters stellt das heiter verspielte Rokkoko dar. Einige erwähnenswerte Bauten aus dem Empire findet man in Baden bei Wien.

In der darauffolgenden Zeit entstanden keine großen Repräsentationsbauten mehr, sondern die fortschreitende Industrialisierung machte sich in Zweckbauten bemerkbar. Das bedeutendste frühe Zeugnis hierfür stellt die Semmeringbahn dar. Es entstanden Hotelpaläste und Verkehrsbauten, die z. T. heute noch das Bild der Kurorte prägen. Denkmäler der heutigen Zeit sind die große Donaukraftwerksanlage von Ybbs-Persenbeug und das nicht in Betrieb genommene Kernkraftwerk bei Zwentendorf.

AGGSBACH MARKT D 4

Höhe: 240–540 m ü. d. M. — Einwohner: 700. — Postleitzahl: A-3651. — Telefonvorwahl: 0 27 12. — Auskunft: FVV Aggsbach Markt, Tel.: 2 66.

Aggsbach Markt liegt reizvoll am linken Donauufer der oberen Wachau und wurde hauptsächlich bekannt durch den Fund der berühmten „Venus von Willendorf". Der Ort besitzt den schönsten Badestrand der Wachau, ist ein guter Ausgangspunkt für Wanderun-

gen und ermöglicht durch seine Lage oberhalb der vielbefahrenen Donaustraße einen ruhigen und erholsamen Urlaub.

Geschichte: Durch Funde an der Berglehne hinter dem Dorf ist bereits eine paläolithische Besiedlung nachgewiesen. Erstmals urkundlich erwähnt wird der Ort in einem Übergabedokument König Ludwigs des Frommen an das bayerische Kloster Niederaltaich 830. Bis ins 13. Jh. war dieses Kloster hier begütert. 1447 wurde Aggsbach das Marktrecht verliehen.

Die ursprünglich spätromanische **Pfarrkirche Maria Himmelfahrt** hat einen hochragenden Achteckturm mit barockem Zwiebelhelm. Die Wände des Mittelschiffs stammen aus den Jahren 1268 – 1300. Im gotischen Chor steht der stuckmarmorierte Hauptaltar (um 1780). Rechts im Chor befindet sich ein spätgotischer Grabstein aus rotem Marmor: „Albrecht Pillsbruger 1413". Die spätbarocke Kanzel stammt aus der Mitte des 18. Jhs. Den **Pfarrhof** (1725 – 1728) erbaute der Barockbaumeister Jakob Prandtauer. Bemerkenswert sind die schmiedeeisernen Fensterkörbe im Erdgeschoß. Auf dem Friedhof schöne barocke Grabkreuze. Der **Gasthof „Zum Gmoawirt"** ist im Baukern aus dem 16. Jh. mit stilvoller Fassade im Biedermeierbarock. Als typisches Wachauer Haus kann man **Haus Nr. 3 a** ansehen.

Ganz in der Nähe liegt **Willendorf.** Als im Jahre 1907/09 die Donauuferbahn von Krems nach Grein gebaut wurde, fand man in den verschiedenen Schichten der Wachauer Lößlandschaft eine Unzahl von Gegenständen aus dem täglichen Leben des prähistorischen Menschen. Im August 1908 wurde hier eine vollkommen erhaltene Figur aus feinporösem Kalk mit Spuren einer roten Bemalung gefunden. Diese 11 cm hohe Plastik stellt eine unbekleidete Frauengestalt dar, welche anatomisch vollkommen richtig angedeutet ist. Das Kunstwerk macht den Eindruck, als wollte der unbekannte Künstler bei aller Realistik der Darstellung das Abstrackte betont in den Mittelpunkt stellen, ein Sym-

Venus von Willendorf

bol der Weltmutter und der Fruchtbarkeit. Unter dem Namen **„Venus von Willendorf"** hat diese kleine Plastik weit über die Grenzen Niederösterreichs und der Fachwelt Aufsehen erregt. Die kleine Figur gehört zum Formvollendetsten, was wir aus dieser Zeit früher plastischer Kunst kennen. Das Wiener Naturhistorische Museum hütet seit 1908 den kostbaren Fund aus Willendorf in einer eigenen Vitrine. Die Fundschicht wird auf etwa 30 000 v. Chr. datiert. An der Fundstelle bei Willendorf befindet sich ein Denkmal in maßstabsgerechter Vergrößerung mit Inschrift.

ALBRECHTSBERG a. d. Großen Krems D 3

Höhe: 705 m ü. d. M. — Einwohner: 800. — Postleitzahl: A-3613. — Telefonvorwahl: 0 28 76. — Auskunft: Gemeindeamt Albrechtsberg, Tel.: 2 58.

Die auf einem Hochplateau gelegene Fremdenverkehrsgemeinde Albrechtsberg mit der ehemaligen Kuenringerburg inmitten, ist einer der schönst gelegenen Orte des südlichen Waldviertels. Ruhe- und Erholungssuchende sowie wanderbegeisterte Gäste finden ideale Bedingungen vor.

Geschichte: 1230 wurde die Feste Albrechtsberg erstmals genannt. Die heute erhaltenen Bauteile der Burg stammen zum großen Teil aus dem 17. Jh. In den Kriegsunruhen von 1619 wurden Burg und Ort arg mitgenommen.

Die **Pfarrkirche Mariä Himmelfahrt** (od. Maria Stiegen) steht an der Stelle der ehem. Burgkapelle. Von 1715 bis 1770 baute man um die Kapelle die Kirche und riß dann die Kapelle ab. Die in lichten Farben gehaltene Ausmalung stammt von Josef Fürst, die Baupläne von Matthäus Munggenast. Bemerkenswert sind die spätgotische Marienstatue am Hochaltar, eine Anna Selbdritt von 1520 sowie zahlreiche gute Grabsteine. Das aus der mittelalterlichen Feste hervorgegangene **Schloß** stammt zum größten Teil aus der 2. Hälfte des 17. Jhs. Eine Besichtigung der gut erhaltenen, von einem Künstler bewohnten Anlage, ist bedauerlicherweise nicht möglich.

Die **Burgruine Hohenstein** liegt malerisch auf einem Felsen nahe Albrechtsberg. Hoch über der Kleinen Krems liegt die **Halbruine Hartenstein.** Die Kuenringerburg aus dem 12. Jh. ist heute eine Kuranstalt. Die großartige Anlage besitzt noch einen stattlichen Bergfried. Unterhalb der Burg liegt die **Genedus-Höhle.** In der allgemein zugänglichen Höhle wurden Funde bis ca. 50 000 v. Chr. gemacht. Die alte Kuenringerburg in **Brunn a. Walde** wurde von den Trauttmannsdorff in ein Wasserschloß umgebaut. In **Allgentsgschwendt** ist die Filialkirche St. Lorenz (Chor um 1400, rom. Taufbecken, got. Sakramentsnische) sehenswert. Die Pfarrkirche St. Veith in **Großreinprechts** stammt aus romanischer Zeit. Sehr sehenswert ist die Pfarrkirche St. Johann Bapt. in **Loiwein** mit einem hochgotischen Chor (reiche Ausstattung). Die Pfarrkirche St. Stephan in **Obermeisling** wurde erstmals 1111 geweiht. Sie ist ein besonders schönes Beispiel donauländischer Spätgotik (barocke Einrichtung).

ALLAND F 5

mit MAYERLING und RAISENMARKT

Höhe: 331 m ü. d. M. — Einwohner: 1985. — Postleitzahl: A-2534. — Telefonvorwahl: 0 22 58. — Auskunft: FVV Alland — Mayerling — Raisenmarkt, Gemeinde Alland, Tel.: 2 45.

Alland, an der fischreichen Schwechat gelegen, bietet etwas für jeden Besucher. Es ist Einkaufs- und Geschäftszentrum der Gegend. Mayerling wurde durch das Jagdschloß des Kronprinzen Rudolf und die damit verbundene Tragödie bekannt. Raisenmarkt ist Ausgangs- und Zielpunkt herrlicher Wanderungen.

Geschichte: Alland war einst Wohnsitz der Babenberger (1002) und ist Geburtsort Friedrichs von Österreich. Im Schloß von Mayerling wählte Kronprinz Rudolf zusammen mit Mary Vetsera 1889 unter nicht genau geklärten Umständen den Freitod.

Haus Nr. 33 in Alland ist das Geburtshaus des Babenbergers Friedrich von Österreich. Die urkundlich 1115 genannte **Pfarrkirche St. Georg** ist eine dreischiffige gotische Hallenkirche, die Einrichtung ist neu. Bemerkenswert sind außerdem noch die Nepomukkapelle und die Heidenkapelle. Besuchenswert ist die **Tropfsteinhöhle**, die auf gut gesicherten Steigen und Leitern von April bis Oktober begangen werden kann.

In **Mayerling** liegt das Karmeliterinnenkloster anstelle des Jagdschlosses des Kronprinzen Rudolf (Führungen).

Die Pfarrkirche St. Philipp und Jakob in **Raisenmarkt** stammt aus dem Jahre 1783; Kanzel um 1700, Hochaltarmensa aus der Stiftskirche Heiligenkreuz (1771). Im Gemeindegebiet liegt die sagenumwobene **Ruine Arnstein**. Die vom österreichischen Alpenverein betreuten Klettersteige auf den **Peilstein** (718 m) bieten Trainingsmöglichkeiten für jedes Können.

ALLENTSTEIG D 2

Höhe: 560 m ü. d. M. — Einwohner: 2800. — Postleitzahl: A-3804. — Telefonvorwahl: 0 28 24. — Auskunft: Verkehrsverein Allentsteig, Tel.: 3 10.

Im Herzen des Waldviertels liegt das romantische Städtchen Allentsteig. Es hat als Sommerfrische alte Tradition. Ein Netz von ca. 40 km Wanderwegen lädt zum Wandern ein, ein herrlicher See zum Baden.

Geschichte: 1156 wurde Allentsteig erstmals urkundlich erwähnt. Zum Markt erhoben 1276, erhielt der Ort 1897 Stadtrechte. Eine Pfarre wurde bereits 1132 erwähnt.

Die **Pfarrkirche St. Ulrich** ist im Kern noch romanisch (12. Jh.). 1681 wurde der gesamte Bau barockisiert. Bemerkenswert ist das Taufbekken (1591) und einige schöne Grabsteine. Am **Kirchhoftor** Statuen der Heiligen Florian und Leonhard (1727). Das **Schloß** ist eine Kuenringergründung (um 1100). Der Bergfried ist im Kern romanisch, der Arkadenhof aus der zweiten Hälfte des 16. Jhs. Zu erwähnen sind noch: Meierhof (Turm und Wohngebäude aus dem 16. Jh.), das ehem. **Spital** aus dem 17. Jh. und **St. Felix** von 1778.

ALTENBURG E 2

Höhe: 387 m ü. d. M. — Einwohner: 714. — Postleitzahl: A-3591. — Telefonvorwahl: 0 29 82. — Auskunft: Gemeindeamt Nr. 10, Tel.: 27 65.

Das Dorf inmitten der lieblichen Landschaft ist hauptsächlich bekannt durch sein berühmtes Benediktinerstift. Aber der Ort bietet sich auch als Stützpunkt für Wanderungen in die Umgebung an.

Geschichte: Wie die meisten Orte im Kamptal zeigt auch Altenburg Spuren einer sehr frühen Besiedlung. Die Geschichte des Benediktinerstifts beginnt mit dem Jahre 1144, wo es von Hildburg, der Witwe des mächtigen Grafen Gebhard von Poigen, bei der Kirche einer „alten Burg" gegründet worden war. Zwei Jahrhunderte später waren eine mächtige gotische Hallenkirche und ein Kloster entstanden. Es bewahrte seine Bedeutung bis über die Reformationszeit hinaus. 1265 mußte die baufällige Kirche erneuert werden. Auch der spätmittelalterliche Bau hat durch Einfälle aus Böhmen im 15. Jh. schwer gelitten und Protestanten und Schweden setzten dem Kloster im 17. Jh. so zu, daß durchgreifende Baumaßnahmen notwendig wurden. 1662 hat man den alten Kreuzgang abgebrochen. Er wird seit 1983 freigelegt und konserviert. Die barocke Stiftsanlage wurde 1725 – 1742 ausgebaut. In den letzten Jahrzehnten wurde das Stift durchgreifend restauriert und ist nun Schauplatz wechselnder Kunstausstellungen (1963 „Paul Troger", 1975 „Groteskes Barock", 1985 „Wallfahrten in Niederösterreich").

Stift Altenburg, „Krypta"

Baumeister der **Stiftskirche St. Lambert** war Josef Munggenast, ein Schüler Prandtauers, der sie zwischen 1680 und 1741 erbaute. Er benützte zwar die Mauern der spätgot. Kirche des 15. Jhs., schuf jedoch einen einheitlichen Barockbau. Im Inneren dominiert der großartige ovale Kuppelraum mit den herrlichen Fresken Paul Trogers. Die heutige Anlage der **Stiftsgebäude** mit ihrer 208 m langen Ostfront (J. Munggenast) ist ein ausgedehnter, asymmetrischer Komplex. Wertvolle Stuckdekorationen, Steinplastiken, Wandmalereien (sala terrena) und Fresken schmücken die Prälatur, den Kaisertrakt und die Bibliothek, die eine der schönsten ihrer Art ist. Unter der Bibliothek dehnt sich die sogenannte „Krypta" mit tonnengewölbter Halle aus. Das Stift Altenburg ist ein Hauptwerk der donauländischen Barockarchitektur des 18. Jhs.

Im nahegelegenen **Strögen** ist die Filialkirche St. Peter und Paul sehenswert. Bemerkenswert sind der roman. Turm mit Steinköpfen aus dem 12. Jh. und eine gotische Sakramentsnische im Chor. Kanzel 17. Jh., Hochaltar 1632. In der Nähe liegen die beiden mächtigen **Burgruinen Schauenstein** und **Steinegg** mit beachtlichen Resten.

12 km entfernt ist **Pölla**. In **Altpölla** sollte man sich die romanische Chorturmkirche Mariä Himmelfahrt anschauen, in **Neupölla** ist die Pfarrkirche St. Jakobus major (Chor und Apsis um 1300) sehenswert. Das Renaissanceschloß **Greillenstein** wurde 1570–1590 erbaut und ist im wesentlichen unverändert erhalten. Gerichtssaal, Kapelle, Bibliotheken, Rittersaal und Türkensaal sind zu besichtigen. Barocker Garten. Auskünfte: Schloßmuseum Greillenstein, A-3592 Röhrenbach.

ALTENMARKT an der Triesting F 5

mit HAFNERBERG-NÖSTACH, THENNEBERG, KLEIN MARIAZELL und ST. CORONA am Schöpfl

Höhe: 400–580 m ü. d. M. — Postleitzahl: A-2571. — Telefonvorwahl: 0 26 73. — Auskunft: FVV Altenmarkt/Triesting, Tel. 2 10.

Altenmarkt und seine zugehörigen Ortschaften liegen inmitten herrlicher Wiesen und Wälder, die zu Wanderungen und Spaziergängen einladen. Hoch über alles ragt der höchste Berg des Wienerwaldes, der Schöpfl (893 m).

Geschichte: Erstmals erwähnt wird die Ortschaft „Antiquumforum" in der Urkunde, welche den Bewohnern erlaubt, jeden Samstag einen Wochenmarkt abzuhalten (1448). Durch den Einfall der Türken wurde die Bevölkerung fast vollständig ausgelöscht, so daß Einwanderer aus Salzburg und Tirol in das Gebiet an der Triesting ziehen mußten.

Die dem heiligen Johannes geweihte **Pfarrkirche** mit ihrem spätgotischen netzrippengewölbten Chor aus dem 14. Jh. wurde im 18. Jh. durch einen Zubau erweitert. Ihre Einrichtung stammt großenteils aus dem Barock. Bemerkenswert sind außerdem die Ruinen Pankrazi und St. Martin. Die Pestsäule „Schwarze Madonna" wurde 1636 errichtet. An den Häusern der Hauptstraße, ehemaligen Gasthäusern, befinden sich **schmiedeeiserne Schilder** des 18. Jhs.

Die **Wallfahrtskirche „Unsere Liebe Frau"** in **Hafnerberg** wurde 1653 gegründet. Der Zentralbau liegt weithin sichtbar auf der Hochfläche. Vor dem längsovalen Hauptraum mit Kuppel stehen zwei zwiebelgekrönte Türme. Großartig ist wegen seiner einheitlichen Ausstattung des 18. Jhs. der Raumeindruck.

Die **Filialkirche Leidender Heiland** in **Thenneberg** wurde 1764 als barocke Kuppelkirche mit zweitürmiger Fassade erbaut. Der **Rehhof** ist ein schöner zweigeschossiger Bau mit Dachreiter aus dem 18. Jh. Die ehem. Bendiktinerabtei **Mariazell** wurde 1136 gegründet. Die ehem. Stifts- und heutige **Pfarrkirche Mariä Himmelfahrt** ist eine romanische Pfeilerbasilika des 12. Jhs. 1752—1782 erfolgte ein barocker Umbau. Vom spätromanischen Umbau nach 1250 haben sich zwei Tore erhalten. Im Inneren findet man hervorragende Fresken von Johann Bergl (1764/65). Ein prächtiges Orgelgehäuse und reiches Chorgestühl sind zu beachten. Die alte Klosteranlage wurde bis auf den gotischen Kreuzgang und eine romanische Halle abgetragen.

AMSTETTEN BC 4

Höhe: 275 m ü. d. M. — Einwohner: 22 100 —. Postleitzahl: A-3300. — Telefonvorwahl: 0 74 72. — Auskunft: Kultur- und Fremdenverkehrsamt der Stadtgemeinde Amstetten, Hauptplatz 29, Tel. 6 12 01/2 46, Durchwahl.

Mitten im „Mostviertel" liegt die Stadt am Eingang zum Ybbstal. Parkanlagen, Spazier- und Wanderwege, ein Kulturlehrpfad sowie landschaftlich und kulturell bemerkenswerte Ziele in der Umgebung machen die Stadt zum idealen Urlaubsort.

Geschichte: Amstetten — im Volksmund auch „Hauptstadt des Mostviertels" genannt — ist, obwohl die Gegend sicher schon zur Keltenzeit besiedelt war, wahrscheinlich eine karolingische Gründung. Im 11. Jh. ist hier um eine Kirche, der jetzigen St.-Stephans-Kirche, ein Großweiler entstanden. 1111 wird der Ort zum ersten Mal urkundlich erwähnt. In der zweiten Hälfte des 13. Jhs. entstand südöstlich des alten Siedlungskernes ein planmäßig angelegter linsenförmiger Marktplatz, durch den die wichtige West-Ost-Straße führte. 1276 bestätigt König Rudolf von Habsburg Amstetten das Marktrecht. Amstettens Aufstieg begann mit dem Bau der Eisenbahn. 1858 wurde es eine Bahnstation an der Kaiserin-Elisabeth-Westbahn; 1872 erfolgte die Eröffnung der Kronprinz-Rudolf-Bahn Amstetten — Kleinreifling. 1897 verlieh Kaiser Franz Joseph Amstetten das Stadtrecht. Kriege zur Türken- und Franzosenzeit, viele Großbrände und schwerste Bombenangriffe im zweiten Weltkrieg bescherten der Stadt Schreckliches. Zu Beginn der sechziger, vor allem aber in den siebziger Jahren war der Aufschwung der Bezirkshauptstadt bemerkenswert. Amstetten wurde zum Verwaltungs-, Wirtschafts-, Industrie-, Verkehrs- und Schulzentrum des Mostviersels.

Die **Pfarrkirche St. Stephan,** eine gotische Staffelkirche aus dem 14. Jh., scheint aus einer romanischen Anlage hervorgegangen zu sein. Die Pfarre wurde bereits 1170 gegründet. Die Kirchengewölbe zieren Fresken des 15. Jhs. Von besonderem Reiz sind die kapellenartigen Chöre der drei Schiffe und die eigenartigen Maßwerkformen der hohen Fenster. In einem bewirtschafteten Bauernhof ist das **Mostviertler Bauernmuseum** untergebracht. Es zeigt viele interessante Exponate aus der Heimatkunde der Gegend und von der Mostwirtschaft. Die **Pestsäule** aus dem Jahre 1742 ist ein hübscher Tabernakelbildstock. Während der Amtsstunden sind auch die **Städtischen Sammlungen** im Rathaus zu besichtigen.

Ulmerfeld: Schöner Marktplatz und Teile der Stadtmauer sind erhalten. Die spätgot. Pfarrkirche St. Peter und Paul wurde im 17. Jh. barockisiert und 1951—53 in einen Neubau mit einbezogen. Im mächtigen Schloß (14./15. Jh.) sind besonders die Torhalle und die Schloßkapelle mit schönen Fresken (14. Jh.) sehenswert.

Neuhofen a. d. Ybbs: (ca. 9 km südl.). Die Pfarrkirche Maria Himmelfahrt wurde schon 1000 als Pfarre erwähnt. Die Kirche enthält ein schönes Netzrippengewölbe. In der **Gedenkstätte Ostarrichi-Haus** wird ständig die Österreich-Urkunde gezeigt sowie jährlich wechselnde Ausstellungen zum Thema „Österreich".

Allhartsberg (ca. 14 km südl.): Die Pfarrkirche St. Katharina wurde 1503 geweiht. Im 16. Jh. entstand die netzrippengewölbte Halle (Chor um 1400). Bemerkenswert sind der barocke Hochaltar, eine spätgotische Marienstatue und das Seitenaltarbild „Maria mit dem Kind" von Paul Troger. Sehenswert sind auch die im Ort erhaltenen alten Vierseithöfe.

ARDAGGER B 4

Höhe: 275 m ü. d. M. — Einwohner: 3000. — Postleitzahl: A-3321. — Telefonvorwahl: 0 74 79. — Auskunft: Marktgemeinde Ardagger, Tel. 3 12.

Die Marktgemeinde mit den Ortsteilen Ardagger Markt, Ardagger Stift, Kollmitzberg und Stephanshart liegt direkt an der Donau und bietet Möglichkeiten zum Wassersport und zu Ausflügen in den Strudengau und die Wachau.

Geschichte: Der Ort wird in einer Urkunde im Jahr 823 mit zwei Kirchen erstmalig erwähnt. Er besitzt seit 1180/90 nachweislich das Marktrecht und ist einer der ältesten Märkte Niederösterreichs. Wegen der Gefahren im Strudengau war er ein wichtiger Donau-Umschlagplatz.

Die **Pfarrkirche St. Margarethe,** 1063 geweiht, war die ehem. Stiftskirche des 1049 gegründeten Kollegiatstifts. Sie ist eine spätromanische Pfeilerbasilika, die im 13. und 16. Jh. teilweise umgestaltet wurde. Hervorzuheben sind das spätroman. Tor (um 1230), das spätgotische Westtor, die roman. Krypta, der Hochaltar mit Rokkoko-Tabernakel sowie das große rundbogige Glasfenster mit Malereien aus dem Leben der hl. Margaretha. Dieses entstand um 1230 und gilt als Hauptwerk der österreichischen Glasmalerei dieser Zeit mit figuralen Darstellungen, die weltberühmt sind. Der **Kreuzgang** neben der Kirche stammt aus dem 14. Jh. und enthält Fresken aus dieser Zeit (1954 entdeckt). Das Stift wurde 1784 aufgehoben und die Gebäude 1813 zum **Schloß** umgebaut. Um einen unregelmäßigen Hof liegen drei zweigeschossige Flügel. Die Freitreppe zum Obergeschoß stammt aus dem 17. Jh. Oberhalb des Ortes liegt auf dem Steilhang die barockisierte **Pfarrkirche St. Nikolaus.** Das Langhaus entstand bereits um 1400. Sehens-

wert sind auch das **Wehrmachtsmuseum** und das **Bauernmuseum**. **Stephanshart** war im Jahre 1980 das schönste „Blumendorf" Europas. Hoch über dem Tal der Donau liegt 16 km nördl. die **Burgruine Freyenstein**. Von der 1298 erstmals erwähnten Burg sind ein spätrom. Bergfried und die Grundmauern mehrerer Gebäude erhalten.
Nahe bei Ardagger liegt der Ortsteil **Kollmitzberg** mit seiner weithin sichtbaren Pfarrkiche St. Ottilie. An den spätgot. Chor (um 1490) schließt sich ein barockes Langhaus an. Bemerkenswert sind ein Sakramentshäuschen (1492) und eine spätgot. Statue der hl. Ottilie. Seit 400 Jahren findet im Ort ein Jahrmarkt im September statt.
In beherrschender Höhenlage liegt **Neustadl Markt.** Vom frühbarocken Georgskreuz (um 1630) auf dem Friedhof hat man eine herrliche Aussicht. Die Pfarrkirche St. Jakobus d. Ä. hat ein wunderschönes Netzrippengewölbe in der spätgot. Halle und im Chor ein sehr feines Kreuzrippengewölbe.

ARTSTETTEN C 4

Höhe: 360 m ü. d. M. — Einwohner: 1200. — Postleitzahl: A-3661. — Telefonvorwahl: 0 74 13. — Auskunft: Marktgemeinde Artstetten, Tel. 82 35.

Die kleine Ortschaft liegt auf der ersten Stufe des Hochlandes über dem Donautal in einer wundervoll romantischen Landschaft und bietet viele Möglichkeiten für einen Urlaub, der Kunst- und Naturerlebnis verbindet.

Geschichte: Urkundlich erstmals 1143 erwähnt, war Artstetten bereits 1268 Sitz eines gleichnamigen Adelsgeschlechts. 1691 erhielt der Ort Marktrechte. Das Wappenmotiv stammt aus dem 11. Jh. und zeigt einen schräggestellten schwarzroten Schild mit einem Adler.

Die ursprünglich gotische **Schloßkirche St. Jakobus d. Ä.** war einst Burgkapelle, aber schon immer auch Kirche der Gemeinde. Seit dem 14. Jh. ist es eine eigene Pfarrei. Die Kirche wurde Ende des 17. Jhs. barock erneuert und zeigt von außen die barocke Verbauung der weit vorragenden gotischen Strebepfeiler durch viaduktartige Bogenstellungen. Ihr Inneres ist ein heller, nüchterner Saalbau. Der Hochaltar (1659) stammt aus der Pfarrkirche von Kitzbühel. Spätbarocke Kanzel. Auch sonst hat die Kirche eine üppige, zusammengetragene Einrichtung. Bemerkenswert ist sie vor allem durch die unter ihr liegende Familiengruft. Im Viersäulenraum mit weiten Kreuzgratgewölben stehen vier Sarkophage der Fürsten von Hohenberg und in einem Zweisäulenraum die zwei Marmorsarkophage des 1914 ermordeten Thronfolgers Erzherzog Franz Ferdinand von Österreich-Este und seiner Gemahlin Sophie von Hohenberg. **Schloß Artstetten** (urkundlich erstmals 1286 erwähnt) ist infolge seiner prächtigen Höhenlage weithin sichtbar. Vier Rundtürme mit großen Zwiebelhelmen rahmen es ein. Sie stammen vom Renaissance-Umbau der mittelalterlichen Burg um 1560 durch Matthäus Grundrechting. Im Schloß befindet sich das Erzherzog-Franz-Ferdinand-Museum. Das Museum stellt sein Leben, Wirken und seine politischen Gedanken dar. Nach dem Attentat in Sarajevo wurde er in Artstetten begraben.

Schloß Artstetten

ASPANG F 7

Höhe: 506 m ü. d. M. — Einwohner: 2400. — Postleitzahl: A-2870. — Telefonvorwahl: 0 26 42. — Auskunft: Gemeindeamt Aspang-Markt, Tel. 23 03.

Aspang ist ein reizender Marktflecken am Fuße des Wechsel. Herrliche Wanderwege führen bis auf 1700 m Höhe. Sämtliche Arten von Freizeitbeschäftigung werden dem Gast hier geboten.

Geschichte: Das uralte Siedlungsgebiet von Aspang lag schon zur Römerzeit am Weg in den Süden. Im Jahre 1983 konnte Aspang auf 1000 Jahre Geschichte zurückblicken.

Mittelpunkt ist der Hauptplatz mit dem anschließenden Kirchplatz. Am Kirchplatz liegt die **Pfarrkirche St. Florian,** seit 1951 Pfarre. Die dreischiffige Hallenkirche mit gotischem Chor entstand um 1503. Bemerkenswert sind das Sternrippengewölbe, Grabsteine von 1742, der Hochaltar (um 1750) und die Kanzel (um 1780). Daneben liegt das im 12. Jh. erbaute **Schloß.** Das Erhaltene stammt zum größten Teil aus dem 16. Jh. Am Marienplatz befinden sich ein Volkskundemuseum und ein Automuseum. Die **Pfarrkirche St. Johannes d. T.** wird bereits um 1200 als Pfarre genannt. Die dreischiffige Hallenkirche (urspr. eine romanische Basilika) wird von einem spätgotischen Chor abgeschlossen. Die Seitenschiffe haben noch ihr spätgotisches Kreuzrippengewölbe. Bemerkenswert ist die Orgelempore mit spätgot. Maßwerkbrüstung und ein zwölfeckiger gotischer Taufstein. Der **Karner** ist ein frühgotischer Sechseckbau.

ASPARN a. d. Zaya G 2

Höhe: 222 m ü. d. M. — Einwohner: 1710. — Postleitzahl: A-2151.— Telefonvorwahl: 0 25 77. — Auskunft: Marktgemeinde Asparn a. d. Zaya, Tel. 2 40.

Die Marktgemeinde Asparn a. d. Zaya liegt in einer Weitung des oberen Zayatales, umrandet von den Ausläufern der Leiser Berge und des Asparner Hügellandes. Katastralgemeinde: Altmanns, Michelstetten, Olgersdorf und Schletz.

Geschichte: Bodenfunde aus allen Zeitepochen. Älteste neolithische Ringwallanlage Mitteleuropas. Asparn, (hd. „asparin" = unter den Espen) früheste urkundliche Erwähnung 1108. 1136 erste Nennung der St.-Pankraz-Pfarrkirche, im 17. Jh. barock umgebaut.

Die Burg, 1121 erstmals erwähnt, wurde im 13. Jh. von Hadmar von Sonnberg neu errichtet und 1421 von Reinprecht von Wallsee zum Schloß umgebaut. 1297 bekam Asparn das Marktrecht verliehen. 1328 wurde eine Ringmauer errichtet. Das mauerumgürtete Ensemble: Schloß, Kirche, Wehrgang über den Burggraben, Kloster, Wirtschaftsgebäude des Klosters, Eckturm und Herrschaftshof, zählt zu den schönsten architektonischen Kleinoden des Weinviertels.

Museumszentrum: Im **Schloß** ist das **Urgeschichtliche Museum des Landes Niederösterreich** untergebracht. Es zeigt die Geschichte des Menschen von seinem ersten Auftreten bis zum Einsetzen schriftlicher Quellen. Es sind vorwiegend Funde aus Niederösterreich ausgestellt, die jedoch graphisch in den gesamteuropäischen Rahmen eingebunden sind. Im Schloßpark ist ein Freilichtmuseum mit frühgeschichtlichen Wohn- und Wirtschaftsbauten zu sehen. Fallweise Vorführungen: Brot backen, Gefäße aus Ton formen und brennen ... Jährlich wechselnde Sonderausstellungen. Geöffnet: 1. 4. bis 31. 10. täglich (außer Montag) 9—17 Uhr, Mittwoch bis 15 Uhr.

Das **Weinlandmuseum** im **Minoritenkloster** zählt mit seinen 25 Schauräumen zu den größten Regionalmuseen des Landes. In anschaulicher Form sind Kunst, Geschichte, Zeitgeschichte und Volkskultur dargestellt. Lapidarium. Jährlich wechselnde Sonderausstellungen. Geöffnet: 1. 4. bis 31. 10., Samstag 13—17 Uhr, Sonn- und Feiertag 9—17 Uhr. Gruppen außer dieser Zeit gegen Voranmeldung im Gemeindeamt (0 25 77) 2 40.

Niederösterreichisches Schulmuseum, „Vom Römergriffel zum Reichsvolksschulgesetz", in **Michelstetten.** Darstellung des antiken Schulwesens und Dokumentation des österreichischen Schulwesens im Rahmen der europäischen Schulgeschichte. Schulstube einer Lateinschule um 1750, ländliches Klassenzimmer 1840—1900, Schulklasse 1900—1920 mit Jugendstilelementen, Klassenzimmer 1920—1955. Sonderausstellung, Historischer Turnplatz, Kinderspielplatz, Heilkräutergarten und Rastplatz. Geöffnet: 1. 4. bis 31. 10., täglich von 9—17 Uhr. Gruppen mit Voranmeldung, (0 25 77) 2 40, jederzeit.

Michelstetten: Spätromanische **Kirche St. Veit,** deren Langhaus aus einer karolingischen Turmburg (vor 907) hervorgegangen ist. Fresken aus dem 13. Jh.

BAD DEUTSCH-ALTENBURG HI 4

Höhe: 138 – 173 m ü. d. M. – Einwohner: 1250. – Postleitzahl: A-2405. – Telefonvorwahl: 0 21 65. – Auskunft: Kurkommission Bad Deutsch-Altenburg, Badgasse 24, Tel.: 24 59.

Der freundliche Markt an der Donau ist ein seit der Römerzeit bekannter Badeort. Er hat neben der stärksten Jodquelle Österreichs auch eine reiche Kultur zu bieten.

Geschichte: Die Geschichte der Marktgemeinde reicht weit zurück in die Römerzeit. Zum Markt erhoben wurde der Ort 1927.

Die tausendjährige **Pfarrkirche Mariä Empfängnis** ist sehr sehenswert. Die Pfarre wurde bereits vor 1020 erwähnt. Die wichtige romanische Pfeilerbasilika erhielt im 14. Jh. den Chor und den frühgotischen Westturm. Reiche Maßwerkfenster im Chor. Die Innenausstattung ist zum großen Teil neugotisch. Sehr wichtig ist der spätromanische Rundbau des **Karner** (13. Jh.). Schön gegliedertes Tor mit reich verzierten Kapitellen, im Inneren Freskenreste aus dem 13. Jh. **Schloß Ludwigstorff** ist ein Wasserschloß aus dem 17. Jh. Es beherbergt das **Afrika-Museum** des Landes Niederösterreich. Das Museum behandelt die Natur und Kultur im schwarzafrikanischen Raum (geöffnet vom 1. April bis 15. November, tägl. außer Montag). Das **Museum Carnuntinum** liegt unweit der Stelle, an der in der Antike die Bernsteinstraße die Donau überquerte. Das Museum enthält eine reiche Sammlung römischer Provinzialkultur der ersten vier nachchristlichen Jahrhunderte. Es ist ganzjährig tägl. außer Montag geöffnet. Die **Marc-Aurel-Säule** erinnert an den Aufenthalt des römischen Kaisers in Carnuntum. Großer Beliebtheit erfreuen sich die **Sommerspiele Carnuntum** (Juli/August) im ehemaligen Amphitheater.

Näheres zu den Ausgrabungen von **Carnuntum** siehe unter **Petronell**!

BADEN bei Wien F 5

Höhe: 220 – 250 m ü. d. M. – Einwohner: 26 000. – Postleitzahl: A-2500. – Telefonvorwahl: 0 22 52. – Auskunft: Kur- und Kongreßhausdirektion der Stadtgemeinde Baden, Hauptplatz 2, Tel.: 8 68 00 / 3 20 oder 3 00, DW.

Die Kurstadt Baden liegt etwa 26 km südlich von Wien und verdankt ihre Entwicklung den heilkräftigen Schwefelthermalquellen, die bereits den Römern bekannt waren. Baden ist das bedeutendste Rheumaheilbad Österreichs.

Geschichte: Nach der ersten römischen Bezeichnung „Aquae" finden wir im Jahre 869 zum erstenmal den Namen „Padun". Von den Römern ist heute nichts mehr zu entdecken. Die Stadterhebung erfolgte 1480, wobei auch das auf die Heilquellen hindeutende Stadtwappen verliehen wurde. Von 1803 bis 1834 verbrachten die habsburgischen Kaiser regelmäßig die Sommermonate in Baden, es wurde Kaiserresidenz.

Bemerkenswert ist die **Stadtpfarrkirche St. Stephan**, die im 13. Jh. als romanischer Bau begonnen und 1477 erweitert wurde. Das Hochaltarbild schuf 1745 Paul Troger. Die **Pfarrkirche St. Helena** besitzt einen spätgotischen Chor und ein barockes Langhaus. Bemerkenswert sind

Baden bei Wien

eine Darstellung der Hl. Dreifaltigkeit (um 1500) und der „Töpferaltar" aus der Stephanskirche in Wien. Die **Hofkirche St. Maria** war ehemals Augustinerklosterkirche. Die heutige Kirche ist einheitlich klassizistisch (got. Chor). Am Hauptplatz in der Fußgängerzone steht die von Giovanni Stanetti 1714—1718 errichtete **Dreifaltigkeitssäule.** Sie erinnert an die Pestseuche kurz vor der zweiten Türkeninvasion. Hervorstechend ist die schöne Empire-Fassade des **Rathauses.** Sehenswert sind auch die ehemaligen Wasserschlösser **Schloß Leesdorf** und **Schloß Weikersdorf** (Orangerie um 1730, Hof mit Laubengängen), heute Clubhotel.
Der mit der Stadt Baden so eng verknüpften Person Ludwig van Beethovens können wir an vielen Orten nachspüren. Der erste Aufenthalt

des Komponisten wurde im Jahre 1807 im sogenannten Johannesbad (Johannesbadgasse 12) nachgewiesen. Erzherzog Rudolf erhielt von Beethoven im Sauerhof (Weilburgstraße 13) Unterricht in Musiktheorie. Heute finden wir hier ein Kaffeehaus im Altwiener Stil, eine Konditorei, sowie ein Restaurant. — Im dreigeschossigen, spätklassizistischen Bau des **Schlosses Braiten,** erbaut von Anton Hantl (1809), wohnte Beethoven während der Sommermonate der Jahre 1816 und 1818. — In der Rathausgasse 10 befindet sich das kostbare Kulturdenkmal, in welchem Beethoven an seiner berühmten „Neunten" arbeitete. Hier befindet sich auch die **Beethoven-Gedenkstätte,** die von 1. 5. — 1. 10. täglich außer Donnerstag von 9 — 11 sowie von 15 — 17 Uhr besichtigt werden kann. Die übrige Zeit des Jahres ist dieses Museum Dienstag und Samstag von 15 — 17, am Dienstag von 9 — 11 Uhr geöffnet. — Auf dem Weikersdorfer Platz 1 finden wir das besuchenswerte **Rollett-Museum** der Stadt Baden, in welchem die Totenmaske des Komponisten zu sehen ist. — Am Beginn des Helenentals ragen heute noch zwei berühmte ehemalige Festungen auf. Es handelt sich dabei um die **Ruine Rauhenstein** (an der Nordseite des Tales) und die **Ruine Rauheneck** (an der Südseite) (12. Jh.).

Nahe der Ruine Rauheneck im Wolfstal liegt die **Königshöhle.** Zahlreiche Funde von der Steinzeit bis zur Römerzeit wurden hier gemacht. Zu sehen sind diese zum größten Teil im Rollett-Museum in Baden.

BAD VÖSLAU FG 5

Höhe: 276 m ü. d. M. — Einwohner: 11 500. — Postleitzahl: A-2540. — Telefonvorwahl: 0 22 52. — Auskunft: Kurverwaltung Bad Vöslau, Stadtamt, Tel.: 77 43, 71 61.

Am Südostende des Wienerwaldes liegt der Kurort Bad Vöslau, dessen heilkräftige Akratotherme vermutlich schon den Römern bekannt war. Für die verkehrsgünstige Lage sorgen die Südbahnstrecke und die Südautobahn, auf der man in einer halben Stunde Wien erreicht. Ein Autobus der WLB verkehrt bis Wien (Oper).

Geschichte: Erste urkundliche Erwähnung erfolgte um 1136. Funde deuten jedoch schon auf eine Besiedlung zur Kelten- und Römerzeit hin. 1324 wird ein kathol. Pfarrer von „Veselave" genannt. In der Folge wurden die Vöslauer protestantisch bis zur Gegenreformation. Danach war die Pfarre 200 Jahre lang Filiale von Gainfarn, erst 1870 wurde Bad Vöslau wieder selbständige Pfarre. 1787 wird erstmals ein öffentliches Badehaus genannt, um 1821 wurde die gräflich Friessche Badeanstalt gegründet und damit der Grundstock zum Kurort gelegt. 1954 wurde Bad Vöslau zur Stadt erhoben und 1972 mit den Gemeinden Gainfarn und Großau vereinigt.

Die dem hl. Jakob dem Älteren geweihte **Pfarrkirche** wurde von Franz Sitte in den Jahren 1860-1870 neuromanisch-neugotisch erbaut. Das urkundlich bereits im 12. Jh. erwähnte **Schloß** stellt ein bedeutendes Beispiel des frühen österreichischen Klassizismus dar. Die einstige Wasserburg wurde 1740 — 1753 und im 18. Jh. umgebaut. Im alten Rathaus der Stadt befindet sich das **Stadtmuseum.** Sehenswert ist auch das **Schneckenreservat,** ein Weltunikat. Ganz in der Nähe die **Natur-**

Bad Vöslau

denkmäler Platane, Mammutbaum und Rotbuche sowie der große **Freiheitsbrunnen.** Etwas außerhalb liegen die Naturdenkmäler „Hexenstein" und „Froschstein" sowie **Opfersteine** aus der Zeit der Illyrer vor ca. 4000 Jahren. Lohnende Ausflugsziele sind der Einkehrgasthof Waldandacht, der **Harzberg** mit Restaurant und Aussichtswarte, die **Vöslauer Hütte** und **Eisernes Tor** (847 m) mit Aussichtsturm. Die **Merkensteiner Höhle** (prähistorische Funde) ist derzeit nicht zugänglich. Die Burg **Merkenstein** ist seit der Zerstörung durch die Türken 1683 Ruine.

BERGERN im Dunkelsteiner Wald D 3

Höhe: 350–500 m ü. d. M. — Einwohner: 1230. — Postleitzahl: A-3512. — Telefonvorwahl: 0 27 14, 0 27 53.

Mitten im Dunkelsteiner Wald liegt das weitläufige Gemeindegebiet von Bergern. Viele Ausflugsziele locken den Wanderer, von Bergern aus den Wald zu durchstreifen. Hauptsehenswürdigkeit im Gemeindebereich sind die Wallfahrtskirche und das Kloster von **Maria Langegg.**
Geschichte: Die Geschichte der Wallfahrt beginnt mit einem fürstbischöflichen Güterinspektor, der 1599 das „Schlößl", den Langegger Hof, erwarb. Zum Dank für eine angeblich wunderbare Krankenheilung ließ er 1605 hier eine Kapelle erbauen; sie wurde 1614 und 1616 vergrößert und 1645 den Serviten übergeben. 1652 begann man mit dem Bau eines Klostertraktes, die gesamte Anlage wurde 1734 fertiggestellt.

Die **Wallfahrtskirche Mariä Geburt** ist ein stattlicher Barockbau (1765—1773) mit bemerkenswerter Turmfassade. Über der Pforte ist noch das Wappen des Servitenordens SM zu sehen. Der gesamte Innenraum ist von einer zarten Farbstimmung erfüllt, in der hellgrün und hellrosa vorherrschen. Eine Besonderheit bilden die illusionistisch gemalten Altaraufbauten (Adam von Möller). Am Hauptaltar leuchtet das Gnadenbild im großen Strahlenkranz. Seitenaltäre und Kanzel tragen eine vornehme Weiß-Gold-Fassung. Auf dem Hügel links neben der Klosterkirche steht das alte Presbyterium. Die **Ursprungskapelle** wird von einem vergoldeten Altar aus schwarzem Marmor beherrscht. Das **Kloster** ist ein großer Vierseithof um einen quadratischen Mittelhof. Beachtenswert sind die schmiedeeisernen Türgitter, die vielen Votivtafeln und Heiligenbilder im Konventgang und die prachtvoll ausgestattete Bibliothek. Von der Terrasse hat man einen herrlichen Blick über den Dunkelsteiner Wald.

BERNDORF F 5

Höhe: 312 m ü. d. M. — Einwohner: 8150. — Postleitzahl: A-2560. — Telefonvorwahl: 0 26 72. — Auskunft: Stadtamt Berndorf, Tel.: 24 70.

Die aus einer dörflichen Ansiedlung gewachsene Industriestadt Berndorf liegt im Triestingtal südlich von Wien im Wienerwald.

Geschichte: 1133 wurde der Ort erstmals urkundlich genannt. 1886 erfolgte die Verleihung der Marktrechte und 1900 wurde die Gemeinde zur Stadt erhoben.

Die Stadt wird von allen Seiten von der Kuppel der **Pfarrkirche St. Margareta** überragt. Der Kuppelbau der 1910—1917 erbauten Kirche stammt von Ludwig Baumann. Bemerkenswert ist die Einrichtung mit Bronzebildwerken. Die **Niederfelder Marienkapelle** ist ein quadratischer Barockbau von 1765. Berühmt ist auch das **Schulgebäude** mit zwölf Klassenzimmern, von denen jedes nach jeweils einem der wichtigsten Baustile gestaltet ist.

BOCKFLIESS H 3

Höhe: 169 m ü. d. M. — Einwohner: 1100. — Postleitzahl: A-2213. — Telefonvorwahl: 0 22 88. — Auskunft: Marktgemeinde Bockfließ, Tel. 2 66.

Bockfließ ist eine reine Weinbau- und Agrargemeinde und hat nur bescheidene Fremdenverkehrseinrichtungen (Restaurants, Disco, 14 Fremdenbetten).

Geschichte: Die Marktgemeinde Bockfließ ist eine der ältesten im Weinviertel. Sie wurde schon 1254 in einer Urkunde als Markt genannt. Jahrhundertelang war der Markt von großer Bedeutung. Der Name des Ortes ist bis heute nicht eindeutig geklärt. 1831 heißt es in der Topographie: Die Bäche Rußbach und Altbach „bilden im Angesicht des Marktes einen ziemlich starken Ausbug, daher man auch von alters her diesen Teil des Baches Bogfluß nannte".

Die **Pfarrkirche** ist ein neugotischer Bau von 1876. Bemerkenswert im Ort ist besonders der **Pranger** von 1417, darunter ein Verlies (der alte Gemeindekotter) und die barocke **Dreifaltigkeitssäule** (1729). Schon von weitem ist das wuchtige **Schloß** sichtbar. Es wurde im 12. Jh. er-

baut und im 17. Jh. zu einem Wasserschloß umgestaltet. Es macht noch heute einen düster wehrhaften Eindruck und ist von innen nicht zu besichtigen.
Ca. 6 km westlich von Bockfließ liegt die Gemeinde **Pillichsdorf.** Die **Pfarrkirche St. Martin** ist eine bemerkenswerte große Pfeilerbasilika aus dem 13.−16. Jh. Im 17. Jh. wurde sie barockisiert. Hoher gotischer Chor um 1420. Barocker Hochaltar, Chorgestühl Ende 17. Jh., Kanzel um 1740.
Ca. 12 km südöstlich liegt **Gänserndorf.** Hier lädt besonders der **Safaripark** zu einem Besuch ein. Auskunft: Stadtgemeinde A-2230 Gänserndorf, Tel.: (0 22 82) 35 10 od. 3 52.

BREITENFURT F 4

Höhe: 379 m ü. d. M. − Einwohner: 3910. − Postleitzahl: A-2384. − Telefonvorwahl: 0 22 39. − Auskunft: Gemeindeamt der Marktgemeinde Breitenfurt, Tel. 23 42 und 31 33.
Breitenfurt liegt unmittelbar an der Süd-Westgrenze von Wien im Wienerwald. Eingebettet in Wälder weist die Gemeinde 20 km erholsame Wanderwege auf.
Zur Besichtigung laden ein: Die **Pfarrkirche zum hl. Nepomuk,** ehemals Kapelle des Kirchnerschen Schlosses, 1726−32 erbaut, das Schloß 1785 abgerissen. Werke von Daniel Gran, Giovanni Giuliani (auch bedeutendes Friedhofkreuz), Raphael Donners Apotheose Karl VI., heute im Österr. Barockmuseum in Wien. **Kapelle des Schwesternfriedhofes** und die sogenannte Waldkirche, richtig Pfarrkirche St. Bonifaz, Werke des österr. Architekten Prof. Clemens Holzmeister. Josefsbild von Johann Michael Rottmayr von Rosenbrunn als Hochaltarbild der **Klosterkirche St. Josef.**

BRUCK an der Leitha H 5

Höhe: 158 m ü. d. M. − Einwohner: 7200. − Postleitzahl: A-2460. − Telefonvorwahl: 0 21 62. − Auskunft: Stadtverwaltung, Tel.: 23 57.
Die kleine Stadt Bruck an der Leitha liegt dort, wo die Straße nach Ungarn den Fluß überquert, am Nordostrand des Leithagebirges. Die historische Stadt ist eingebettet in Wald, Flur und Wiesen und hat einen schönen barocken Stadtkern mit historischen Bauwerken.
Geschichte: Als Ortschaft wurde Bruck 1074 erstmals erwähnt, die erste Nennung als Stadt erfolgte 1239. Die Altstadt ist ein Straßendorf. Hier war die alte Pfarre St. Martin mit Kirche und eigenem Friedhof. Die eigentliche gotische Stadt wurde erst im 13. Jh. planmäßig errichtet.
Die heutige **Pfarrkirche zur Heiligen Dreifaltigkeit** wurde 1696 bis 1702 umgebaut, die Fassade 1740 errichtet. Die Pfarre bestand jedoch schon vor 1083. Der weiträumige Barockbau enthält eine gute Ausstattung aus dem 18. Jh. Bemerkenswert sind der prächtige Hochaltar und eine schöne Kanzel. Die **ehem. Pfarrkirche St. Martin** stammte aus romanischer Zeit und wurde leider abgebrochen (heute Wahlamt). Die

ehem. **Niklaskapelle** (Hof Kapuzinergasse 7) war ein Werk des 14. Jhs. (schöne z. T. vermauerte Fensteröffnungen). Ein intimer Bau ist die barocke **Bürgerspitals-Kapelle** von 1762. Interessante **Häuser** in der Stadt sind das **Rathaus** (Renaissance), der **Pfarrhof** (16. Jh.), das **Bezirksgericht** (Renaissance), das **ehem. Augustiner-Eremiten-Kloster** (1663) und viele andere Häuser in Privatbesitz aus allen Jahrhunderten! In der Stadt stehen auch mehrere **barocke Säulen** (u. a. Marien-Säule). Die alte **Stadtmauer** zeugt von langer Geschichte. Das reich bestückte **Heimatmuseum** (Hohngasse 1) kann im Sommer sonntags von 10 bis 12 Uhr besucht werden.

Das **Schloß Prugg** ist von einem Naturpark mit herrlichem alten Baumbestand umgeben. Vom mittelalterlichen Bau stammt noch der Bergfried. Die eindrucksvolle (neugotisch umgestaltete) Anlage liegt am Rande der Stadt und geht in den Park über. Bemerkenswert sind die barocke Kapelle, der Gobelinsaal, der Ahnensaal und natürlich der herrliche Park.

Wenige Kilometer leithaabwärts liegt **Rohrau** mit **Schloß Harrach**. Es beherbergt die größte Privatgemäldesammlung Österreichs (April bis Oktober geöffnet). Das Schloß wurde bereits 1266 genannt. Die heutige Form stammt von 1776. Bemerkenswert sind noch die **Pfarrkirche** mit der Harrachschen Familiengruft und das **Geburtshaus Joseph Haydns.**

Ca. 17 km südl. von Bruck liegt **Mannersdorf am Leithagebirge.** Sehenswert ist besonders das unter Mitwirkung Fischers v. Erlach um 1600 umgebaute **Schloß** (bemerkenswertes Treppenhaus, Saal mit Deckenfresken). Interessante Häuser, Pestsäule (17. Jh.), bemerkenswerte Ruine einer Karmelitereinsiedelei („Wüste"). In beherrschender Lage liegt die **Ruine Scharfeneck.** Gut erhaltene Ruine mit massigem Bergfried.

DROSENDORF an der Thaya E 1

Höhe: 421 m ü. d. M. — Einwohner: 1600. — Postleitzahl: A-2095. — Telefonvorwahl: 0 29 15. — Auskunft: Gemeindeamt Drosendorf, Tel. 2 13 oder Verein „Drosendorf Aktiv", Tel. 3 21.

Das Städtchen Drosendorf liegt auf einem felsenartigen, an drei Seiten von der Thaya umflossenen Hügel nahe der Grenze zur Tschechoslowakei. Es ist nahezu jegliche Art von Freizeitgestaltung möglich.

Geschichte: Um 1180 wurde die Stadt auf der Felsennase über der Thaya gegründet. Erste Erwähnung als Stadt erfolgte 1240. Einmal griff das Städtchen in seiner langen Geschichte sogar in die Weltpolitik ein: Im Jahre 1278 hielt es 16 Tage lang der Übermacht Ottokar Przemysls stand. Dadurch konnte Rudolf von Habsburg sein Heer sammeln und schlug den Böhmenkönig bei Dürnkrut und Jedenspeigen vernichtend.

Mitten im Anger steht die **Marktkirche St. Martin.** Der spätgotische Hallenbau hat eine barocke Ausstattung. Die spätgotische **Pfarrkirche St. Peter und Paul** liegt in der Altstadt. Bemerkenswert ist das acht

Meter hohe Sakramentshaus von 1515 und das Hochaltarbild aus der Trogerschule. Das **Schloß** ist aus der alten Burg hervorgegangen und wurde in den letzten Jahren vollständig renoviert. Interessant sind auch die fast vollständig erhaltenen **Stadtmauern**, die z. T. bis ins 12. Jh. zurückreichen. Im **Bürgerspital** befindet sich heute das Heimatmuseum und eine Galerie. Die **Rolandsäule** ist ein Werk der Spätgotik mit Renaissance-Aufsatz. Das Denkmal ist in seiner Art das größte im deutschsprachigen Raum.
Die 13 km südwestl. an der Thaya gelegene **Burgruine Kollmitz** ist die umfangreichste des ganzen Landes. Nur 6 km aufwärts der Thaya liegt **Eibenstein** mit seiner sehenswerten **Pfarrkirche St. Ägidius** (Fresken von 1590). Am gegenüberliegenden Ufer liegt die **Burgruine Eibenstein** mit ausgedehnten Resten (roman. Kapelle, Bergfried).

DÜRNSTEIN D 3

Höhe: 204 m ü. d. M. — Einwohner: 1031. — Postleitzahl: A-3601. — Telefonvorwahl: 0 27 11. — Auskunft: Gemeindeamt Dürnstein, Tel. 2 19.

Weit über die Landesgrenzen hinaus berühmt ist die kleine Stadt in der Wachau. Das liegt vor allem an ihrer herrlichen Lage und dem Reichtum an Kulturdenkmälern.

Geschichte: Urgeschichtliche Funde aus der Keramik- und Bronzezeit bezeugen das hohe Alter dieses Siedlungsplatzes. Urkundlich erstmals 1002 und 1019 erwähnt (von Heinrich II. dem Kloster Tegernsee geschenkt), war er Mitte des 12. Jhs. Mautstelle und wurde 1492 zur Stadt erhoben. Um 1050 wurde der Platz den Kuenringern überlassen, die vermutlich Anfang des 12. Jhs. die Burg erbauten. 1192/93 saß hier König Richard Löwenherz gefangen. Seit 1356 Verwaltung durch landesfürstliche bzw. kaiserliche Pfleger. 1458 Eroberung der Burg durch Truppen Kaiser Friedrichs III. Ungarnbelagerungen um 1477 und 1487. 1645 wurde das Städtchen von den Schweden verwüstet, dann wiederhergestellt. Anfang des 18. Jhs. erfolgte ein großer wirtschaftlicher Aufschwung. Heute ist Dürnstein einer der bedeutendsten Fremdenverkehrsorte der Wachau.

Die **Burgruine** auf einem felsigen Vorsprung hoch über Stadt und Donau ist heute völlig verfallen. Die Burg wurde Anfang des 12. Jhs. von den Kuenringern erbaut und ist nach wechselvollem Schicksal seit 1645 dem Verfall preisgegeben. Noch heute ist sie jedoch durch turmbewehrte Mauern mit der Stadt verbunden. In der Hochburg finden sich noch Spuren der spätroman. Schloßkapelle mit Freskenresten. Das **Schloß** wurde 1622 an Stelle von 10 Häusern von Wilhelm von Zelking erbaut. Der massige, frühbarocke Baukörper weist eine Außengliederung in wuchtiger Rustika auf. Das Innere hat ein frühbarockes Treppenhaus und eine stilvolle Einrichtung. Es ist heute Hotel. Schräg gegenüber steht das **Rathaus** (1547), ein im Kern spätgotischer Bau. 1963 wurden ornamentale Renaissance-Sgraffiti freigelegt. Die **ehem. Klarissinnenkirche** (vor 1289 gegr.) ist heute Ruine. Es war eine frühgotische Hallenkirche. Ende des 17. Jhs. erfolgte die Profanierung. Seitlich der Kirche findet man Reste des 1693 zerstörten Klosters und des Kreuzganges. Die barocke Anlage dient heute als Hotel. Hinter

Innenansicht der ehemaligen Stiftskirche Dürnstein

dem östl. Stadttor liegt die Ruine der **ehem. Pfarrkirche St. Kunigunde.** Der Grundriß der frühgot. Kirche ist noch zu erkennen. Im malerischen Friedhof der Kirche steht der **ehem. Karner** (14. Jh.). Bemerkenswert sind hier ein Fresko an der Außenwand (um 1520), ein got. Holzkruzifix und eine Kreuzigungsgruppe. Der Barockbau des **Augustinerchorherrenstiftes** und der **ehem. Stiftskirche Mariä Himmelfahrt** (heute Pfarrkirche) verdankt Dürnstein vor allem seinen Ruf. Das 1410 gegründete Stift gründet seinen Weltruf auf den einheitlichen Neubau von Kirche, Turm, Kreuzgang und Prälatenhof im 18. Jh. Durch das innere Prunkportal betritt man die Stiftskirche, die z. T. wohl noch nach Plänen von Jakob Prandtauer erbaut worden ist. Das Kirchenschiff ist ein eindrucksvoller Raum in Weiß, Braun und Gold. An das Langhaus schließen Seitenkapellen und darüber geschwungene Emporen. Der Hauptaltar enthält ein Bild von Carl Haringer (1723). Er ist seitlich eingerahmt vom eleganten Chorgestühl. Die Kanzel hat goldene Reliefs von Johann Schmidt. Der spätbarocke **Kreuzgang** ist auf den Grundmauern des gotischen errichtet (1722 bis 1724). Bemerkenswert sind hier ein geschnitzter Weihnachtsaltar und eine Krippe von Johann Schmidt. Zwei Felsenstiegen führen hinab ans Donauufer, von wo man einen überwältigenden Blick auf die Anlage hat. Den schönsten Blick auf Dürnstein hat man von der **Starhembergwarte** (1 Stunde Aufstieg).

Der Ortsteil **Ober-Loiben** stammt aus der Zeit der fränkischen Kolonisation des Donautales (um 800). Sehenswert sind hier einige schöne Häuser aus der Zeit um 1810. **Unter-Loiben** wurde erstmals 1002 erwähnt. Sehr sehenswert ist die **Pfarrkirche St. Quirin,** eine Verbindung aus 2 gotischen Kirchen. Umbau Ende des 18. Jhs. Bemerkenswert sind wertvolle spätgot. Statuen (um 1515), eine Pieta aus Steinguß (nach 1400) und schöne Seitenaltäre. Im Ort sind einige spätbarocke und biedermeierliche Häuser zu sehen.

Schloß Eckartsau

ECKARTSAU H 4

Höhe: 143 m ü. d. M. — Einwohner: 1046. — Postleitzahl: A-2305. — Telefonvorwahl: 0 22 14. — Auskunft: Gemeindeamt Eckartsau, Tel. 22 02.

Schloß Eckartsau ist das derzeit besterhaltene Schloß des Marchfeldes. Die Großgemeinde besteht aus den beiden Marktgemeinden Eckartsau und Witzelsdorf und den drei Dorfgemeinden Kopfstetten, Pframa und Wagram a. d. Donau.
Die **Pfarrkirche St. Leonhard in Eckartsau** ist ein Barockbau des 18. Jhs. Die **Pfarrkirche St. Martin in Witzelsdorf** ist ein kleiner, aber bemerkenswerter mittelalterlicher Bau aus der Zeit des Übergangs von der Romanik zur Gotik.
Schloß Eckartsau ist bewohnt, kann aber besichtigt werden (Samstag, Sonntag und Feiertag vom 15. März bis 15. November von 8 – 12 Uhr und von 13 bis 16 Uhr wochentags gegen Voranmeldung 0 22 14/22 40.) Ebenso wird das Jagdschloß vermietet für Hochzeiten, Bälle und Kongresse. Besonders sehenswert sind der Waffengang, die Bibliothek und die 13 m hohe Kapelle. Hervorzuheben ist der Prunksaal in seiner vollendeten Harmonie von Architektur (Lukaas v. Hildebrandt), Malerei (Deckengemälde von Daniel Gran) und Bildhauerei (Lorenzo Mattielli). Nach seiner Abdankung im Schloß Schönbrunn wohnte der letzte österr. Kaiser Karl I. mit Gattin Zita und den Kindern bis zu seiner Abreise ins Exil im Barockschloß Eckartsau. Erbaut wurde das Schloß 1732 auf der Grundlage einer bereits 1190 erwähnten mittelalterlichen Burg. Es ist wohl eines der glänzendsten Schlösser Österreichs, und der weitläufige englische Park umschließt es wie ein Kleinod.

EGGENBURG E 2

Höhe: 314 m ü. d. M. − Einwohner: 3680. − Postleitzahl: A-3730. − Telefonvorwahl: 0 29 84. − Auskunft: Stadtamt Eggenburg, Tel. 35 01 od. 35 02.
Die Stadt Eggenburg mit seiner zum großen Teil erhaltenen Mauer, seinen mittelalterlichen Häusern, der herrlichen Stephanskirche und der alles überragenden Burgruine gehört zu den sehenswertesten Städten Niederösterreichs.
Geschichte: Seinen Namen erhielt der Ort von der Burg des Egino. Im Jahre 1126 wird der Name erstmals urkundlich erwähnt. 1180 erhielt der Ort Marktrechte, 1277 Stadtrechte. Der Ausbau zu einer Burgstadt wurde um 1180 mit dem Bau der mächtigen Stephanskirche abgeschlossen. Der Bau der Franz-Josef-Bahn im Jahre 1869 stellt den Beginn des neuen Aufschwungs in die Gegenwart dar.
Glanzpunkt der Stadtbesichtigung ist die **Pfarrkirche St. Stephan.** Sie steht mit ihren roman. Osttürmen (um 1200) dominierend auf einer Felsklippe. Der hochgotische Chor (ab 1330) liegt zwischen den Türmen. Die durch Dachreiter und Blendbogen geschmückte Langhauswand (beg. 1485) überragt den Chor. Als Außenschmuck besitzt die Kirche noch einen roman. Löwen und Adam und Eva, Grabplatten (ab 12. Jh.) und drei schöne barocke Denkmäler. Im Inneren dominiert die Raumwirkung der dreischiffigen Halle (ab 1485). Von der Ausstattung ist besonders hervorzuheben: ein herrlicher gotischer Flügelaltar aus der Zeit um 1520 und die ausgezeichnete gotische Kanzel.

Von der **Stadtbefestigung** sind weite Teile erhalten. Hervorzuheben ist hier der **Turm des Friedens** mit einer neuen Ausstattung in Sgraffito-Technik (1977) zum Thema Frieden. Mittelpunkt der Stadt ist der Hauptplatz. Hier befindet sich die charakteristische **Grätzl**, eine Häuserinsel aus dem 16. Jh. Die **Dreifaltigkeitssäule** auf dem Platz ist eine wirkungsvolle Wolkenpyramide mit Pestheiligen (gew. 1715). Am Hauptplatz befindet sich auch der **Pranger** aus dem 16. Jh. mit einer Ritterfigur und zwei **Brunnen.** Hauptplatz Nr. 1 ist das **„Gemalte Haus"**, ein weiterer Höhepunkt der Stadtbesichtigung. Das nach 1525 erbaute Haus hat gotische Erker und herrliche Sgraffito-Malereien (1547). Sehr sehenswert ist das **Krahuletz-Museum** (geöffnet tägl. 9 – 11, 14 – 16). Das nach K. Krahuletz benannte Museum ist besonders auf dem Gebiet der Paläontologie einzigartig. Bekannt und berühmt sind die Unikate: ein Delphin- und ein Krokodilsschädel aus dem Miozän (ca. 20 Mio. Jahre alt). Sehr gut ist auch die Ur- und Frühgeschichte vertreten, aber auch die Kultur und die Volkskunde kommen nicht zu kurz. Ein weiteres interessantes Museum in Eggenburg ist das **Erste Österreichische Motorrad- und Technik-Museum** (Sammlung Ehn). Es ist geöffnet an Wochentagen von 8 – 16 Uhr, Samstag, Sonn- und Feiertag von 10 – 18 Uhr.

Im nahen **Engelsdorf** ist eine Kapelle mit Flügelaltar (1500) sehenswert. **Burgschleinitz** liegt ca. 5 km südlich der Stadt. Hier ist die **Pfarrkirche St. Michael** und der **Karner** aus dem 12. Jh. zu erwähnen. Das **Schloß** ist eine stimmungsvolle, von Wasser umgebene Renaissance-Anlage. Das nahegelegene **Kühnring** ist der Stammort des berühmten Geschlechts der Kuenringer. Sehenswert ist die **Kirche St. Philipp und Jakob** mit romanischem Turm und der **Karner** aus dem 14. Jh. Der **Kalvarienberg** wurde auf den Resten der mittelalterlichen Burg errichtet.

EMMERSDORF an der Donau D 4

Höhe: 277 m ü. d. M. – Einwohner: 1500 – Postleitzahl: A-3644. – Telefonvorwahl: 0 57 52. – Auskunft: Gemeindeamt Emmersdorf, Tel.: 74 69.

Am Eingang zur Wachau, nahe Melk, liegt der kleine Ort durch die neu errichtete Donaubrücke äußerst zentral. Seine waldreiche Umgebung bietet viele erholsame Spazierwege.

Geschichte: Urkundlich wurde der sehr alte Ort erstmals 1171 erwähnt. 1259 erhielt er durch Ottokar II. von Böhmen (Herzog v. Österreich) besondere Wasserrechte, d. h. landesfürstliche Wassermaut und Urfahrrecht. Zu Beginn des 16. Jhs. war in Emmersdorf eine bedeutende Eisenniederlage. 1569, zur Zeit des Bauernaufstandes, befand sich hier der Hauptversammlungsplatz der Rebellen, denn ihr Hauptanführer war der Schneider Georg Prunner aus Emmersdorf.

Auf dem Hauptplatz des Marktes steht die **Magdalenkapelle** (Schlüssel im Haus Nr. 7). Erbaut im 16. Jh. wurde sie 1785 profaniert, 1794 wiedereröffnet, durch die Franzosen beschädigt, heute nicht mehr geweiht und genutzt. Bemerkenswert sind ein spätgot. Steinportal, ein Fresko „Muttergottes auf der Mondsichel" und der Hauptaltar von 1674. Hoch über dem Markt im Ortsteil Hofamt liegt die **Pfarrkirche St.**

Nikolaus (um 1336). Dem niedrigen gotischen Langhaus steht ein unten gotischer, oben barocker Turm vor. Das Langhaus zeigt im Mittelschiff ein Netzrippengewölbe. Besonders schön ist die spätgotische Sakristeitür (spätgot. Klopfring, 15. Jh.). Zu erwähnen ist noch der Hauptaltar (1766), die Rokokokanzel und die Rokokoorgel. Der **Pfarrhof** ist ein weitläufiges Barockgebäude. Das ehem. **Schloß Rotenhof** enthält Reste einer Burg aus dem 16. Jh., wurde jedoch nach 1883 umgebaut. Als typisches **Renaissancehaus** der Wachau gilt Haus Nr. 31. Über einen Treppenweg (Haus Nr. 11) kommt man zu einem Bildstock (16. Jh.) mit hl. Koloman (18. Jh.).
2 km nördlich liegt die **Burgruine Gossam,** von der sich die Reste einer romanischen Burgkapelle erhalten haben. Etwas weiter liegt **Grimsing,** wo sie herrliche Bauerngehöfte der Wachau finden.

ENGELHARTSTETTEN HI 4

Höhe: 141 m. ü. d. M. — Einwohner: 1700. — Postleitzahl: A-2292. — Telefonvorwahl: 0 22 14. — Auskunft: FVV March-Donauland, Tel.: (0 21 65) 24 59.

Besonderheiten der Gemeinde sind die beiden Schlösser Niederweiden und Schloßhof.

Das **Schloß Niederweiden** wurde um 1693 von Johann Bernhard Fischer von Erlach erbaut. 1726 übernahm Prinz Eugen das Schloß und ließ es umbauen. Es ist ein zierliches an französische Vorbilder erinnerndes Jagdschlößchen. Der reizvolle Bau wird wiederhergestellt und ist ab 1986 wieder zu besichtigen. Im Park ist noch eine frühmittelalterliche Fluchtburg erkennnbar. Zentrum höfischen Lebens war das 7 km von Niederweiden entfernte Schloß **Schloßhof.** Auch hier war es Prinz Eugen, der den Aufschwung brachte. J. Lukas von Hildebrandt errichtete in dessen Auftrag aus einem einstöckigen Kastell eine vollendete barocke Schloßanlage mit gewaltigen Gartenterrassen. 1986 werden die Restaurierungsmaßnahmen abgeschlossen sein und es wird wieder möglich sein, dieses barocke Meisterwerk auch von innen zu besichtigen. Vom 22. 4. – 26. 10. 1986 findet in den renovierten Schlössern die „Prinz-Eugen-Ausstellung" statt.

ERNSTBRUNN G 3

Höhe: 293 m ü. d. M. — Einwohner: 3100. — Postleitzahl: A-2115. — Telefonvorwahl: 0 25 76. — Auskunft: Gemeindeamt Ernstbrunn, Tel.: 3 01.

Die Gemeinde Ernstbrunn am Steinberg besitzt einen bekannten Wildpark, verfügt über gepflegte Wanderwege und lädt zum Verweilen ein.

Geschichte: 1055 wurde der Ort erstmals als „Ernustesprunn" urkundlich erwähnt. 1533 erhielt er Marktrechte. Der Sage nach soll hier ein hl. Ernst gelebt und Wunder gewirkt haben. Es entstand dort am Brunnen eine Wallfahrtskirche, die Kaiser Josef II. abtragen ließ. Hier steht heute eine Kapelle.
Die **Pfarrkirche St. Martin** (Pfarre 1045) ist ein edler Barockbau, der um 1700 entstand. Zu erwähnen ist der prächtige Hochaltar, die

Rokokokanzel und ein zwölfeckiger spätgot. Taufstein. Am Hauptplatz steht eine **Pestsäule** (1714, Rochus Mayrhofer), als Dank für die Verschonung der Ernstbrunner in den Pestjahren um 1700. Im Westen beschließt das barocke **Rathaus** den Platz. Im Rathaus befindet sich das **Heimatmuseum** (Sonntag von 10 – 12 Uhr geöffnet).
Außerhalb des Ortes liegt am Berghang das urkundlich im 11. Jh. erwähnte **Schloß**. Es wurde 1654 neu erbaut und 1775 umgebaut und bedeutend erweitert. Besonders bemerkenswert ist die klassizistische Fassadenwand, die vom altertümlichen Torturm überragt wird. Vor dem Schloß ein schöner Barockbrunnen (1673 – 1677) mit Sindeldorferwappen.
3,5 km nördlich von Ernstbrunn liegt der **Oberleiser Berg,** wo in den zwanziger Jahren und seit 1976 eine **frühe Höhensiedlung** ausgegraben wird. Eine Besiedlung wurde bis zu Steinzeit nachgewiesen. Die römischen Fundamentmauern wurden koserviert und sind zu besichtigen. Funde gibt es im Museum Mistelbach. Ein gotisches Wallfahrtskirchlein ziert heute den Abhang des Berges.
Im Leiser Gebirge ist ein **Natur- und Wildpark** entstanden, in dem man auf bezeichneten Wanderwegen die Wälder durchstreifen kann, und von einer Aussichtswarte im Stil eines römischen Wachtturms überblickt man weite Teile des Umlandes.

FERSCHNITZ C 5

Höhe: 288 m ü. d. M. – Einwohner: 1250. – Postleitzahl: A-3325. – Telefonvorwahl: 0 74 73. – Auskunft: Gemeindeamt Ferschnitz, Tel.: 22 97.
Die Marktgemeinde Ferschnitz bietet dem Gast herrliche Wanderwege im Wald- und Auengebiet am Ybbsfluß und Ferschnitzbach. Auch dem Kunstinteressierten wird einiges geboten.
Geschichte: Ferschnitz ist altes Siedlungsgebiet rund um den Ferschnitzbach. Die Gemeinde ist bereits seit 400 Jahren Markt.
Die **Pfarrkirche St. Xystus** ist ein stattlicher dreischiffiger gotischer Bau. Der mit reichem Netzgewölbe ausgestattete Chor entstand um 1490. Bemerkenswert sind die schöne spätgotische Sakristeitür, Renaissance-Grabsteine (1570 – 1603) und ein stattlicher Barockaltar mit einem Altarbild des Kremser-Schmidt (1770), die Kanzel entstand gleichzeitig. Auf dem Vorplatz steht eine lebensgroße Steinplastik: Immakulata (um 1710). Ein besonderes Kleinod ist die **Filialkirche St. Martin** in **Innerochsenbach** mit bedeutenden Glasfenstern (um 1400), Temperabildern von 1521 und gotischen Schreineraltären (um 1520).
Das 3 km südlich gelegene **Schloß Senftenegg** ist eine einfache Gebäudegruppe um einen Hof. Gotischer Bergfried erhalten, im Hof Laubengang (16. – 18. Jh.).
Von dem großartigen **Schloß Freydegg** (nördl.) 1575 – 94 von Richard Streun erbaut, sind nur noch Reste des Vorbaus erhalten.

FURTH bei Göttweig (Stift) E 3

Höhe: 214 m ü. d. M. — Einwohner: 2300. — Postleitzahl: A-3511. — Telefonvorwahl: 0 27 32. — Auskunft: Gemeindamt Furth bei Göttweig, Tel.: 46 22.

Eingebettet zwischen den Donauauen und dem steil aufragenden Göttweiger Berg, auf dessen Höhe das weltberühmte Benediktinerstift Göttweig liegt, breitet sich der Weinort Furth aus. Bis an die Ortsgrenze reicht im Südwesten das ausgedehnte Waldgebiet des Dunkelsteinerwaldes.

Geschichte: Im Jahr 1083 wurde Furth erstmalig zusammen mit dem Stift urkundlich erwähnt. Es gehörte die „Villa ad Vurta" bereits zu den Dotationen Bischof Altmanns v. Passau für das Stift Göttweig. Seit dieser Zeit stand der Ort bis zur Güterregelung von 1848 immer in großer Abhängigkeit vom Stift. Hier war auch jahrhundertelang die stiftliche Schranne (Gerichtsgebäude). Auf dem gesamten Göttweiger Berg wurden prähistorische Funde ab dem späten Neolithikum, aus Bronze- und Urnenfelderzeit über Mittelalter bis zur Neuzeit geborgen. Ebenfalls durch Funde ist hier eine römische Ansiedlung nachgewiesen. Das Stift feierte im Jahre 1983 seine 900-Jahr-Feier mit großem Programm.

Die **Pfarrkirche St. Wolfgang** ging aus einer Kapelle (1494) hervor, die der heutige Altarraum der Kirche ist. Im Inneren ergeben sich infolge zweimaliger Aufstufung interessante Raumwirkungen. Das tonnengewölbte Langhaus mit anschließendem kreuzrippengewölbtem Chor erhielt die jetzige Form 1719. Der Turm wurde 1719 nach Plänen Joh. Luk. v. Hildebrandt umgebaut. Bemerkenswert sind das Hochaltarbild von Mitterhofer (Ende 18. Jh.) und die Kanzel (1729). Der zweistöckige **Pfarrhof** wurde 1729 umgebaut. Bermerkenswert ist ein barockes Gartentor (Wappen des Göttweiger Abtes Bessel). In der Gemeinde befinden sich noch vier interessante **barocke Bildsäulen.** Die Filialkirche **St. Blasius** im Ortsteil **Kleinwien** stammt aus dem 15. Jh. Der spätgot. Chor hat ein Sternrippengewölbe. Bemerkenswert sind zwei gotische Türen, die barocke Kanzel und Chorstühle des 17. Jhs.

In großartiger Berglage, 427 m ü. d. M., mutet **Stift Göttweig** aus der Ferne an wie eine prunkvolle Schloßanlage, was ihm den Beinamen „österreichischer Escorial" eingetragen hat. 1083 gründete Bischof Altmann von Passau das Kloster als reguliertes Chorherrenstift, 1094 übernahmen es Benediktiner. Es bietet vom Platz vor der Stiftskirche aus folgende Übersicht: links hinten das Pförtnerhaus (ehem. Schloß) mit gotischen Doppelfenstern, seitlich davon die ehem. **Sebastianskapelle** (um 1350, Kreuzrippengewölbe, rundbogige Fenster). Gegenüber erhebt sich der wuchtige Trakt mit der **Kaisertreppe** (1736 – 38), anschließend der Nordtrakt (Ecktürme) mit **Fürsten- und Kaiserzimmer, Altmannsaal** und **Prälatur.** Auf dem Platz davor steht die barocke **Brunnenpyramide** mit mythologischen Reliefs und schlankem Obelisk (1742), Abschluß einer barocken Pumpanlage, die Wasser vom Tal ins Kloster beförderte (Brandgefahr!). Die weitere Länge des Nordtraktes stellt das „Vestibül" mit ehem. Klosterapotheke, Gästezimmern und **Cäciliensaal** dar. Im Osten der abschließende Wohntrakt, überragt vom Mittelpavillon. Die **Stiftskirche Mariä Himmelfahrt** bildet die Mitte der Klosteranlage. Über der Freitreppe erhebt sich die mächtige zwei-

Stift Göttweig

türmige Westfassade (Pläne J. L. v. Hildebrandt). Das Innere zeigt die auf Blau-Beige eingestimmte Farbigkeit, die für die Zeit um 1700 charakteristisch war. Die reiche plastische Stuckierung gehört zum sog. Knorpelstil. Der gotische Chor (1402–31) ist ein adäquater Rahmen für den bemerkenswerten Hochaltar (1639). Die 12 Glasgemälde in den beiden Fenstern (15 Jh.) entstammen ehem. Kirchen des alten Klosterbezirks. Das reichgeschnitzte Chorgestühl entstand 1770. Die **Krypta** birgt das Gnadenbild, eine gotische Pietá und das Grab des hl. Altmann (Figur um 1540). **Kirchenvorhalle** und **Kreuzgang** bieten eine Fülle von Marmorepitaphien und Steinreliefs. Im **Stiftsgebäude** bildet die 1738 von Hildebrandt erbaute **Kaiserstiege** den Hauptanziehungspunkt (eines der schönsten Barocktreppenhäuser Europas). Das Treppenhaus wird überstrahlt vom Deckenfresko Paul Trogers (1739). Die **Kaiserzimmer** mit ihrem zarten Deckenschmuck, die **Bibliothek,** Kunstsammlungen, geographisches Kabinett, Archiv und Fürstenzimmer machen Göttweig zu einem unvergleichlichen Erlebnis.

GAMING C 5

Höhe: 420–810 m ü. d. M. — Einwohner: 4220. — Postleitzahl: A-3292. — Telefonvorwahl: 0 74 85. — Auskunft: Gemeinde Gaming, Tel.: 30 80.

Gaming und sein Ortsteil Lackenhof im Ötscherland bieten den Gästen jede Art von Erholung und Freizeitbeschäftigung. Kulturhistorisch ist besonders die Kartause Gaming interessant.

Geschichte: Gegründet wurde die Kartause Gaming in Erfüllung eines Gelübdes durch Herzog Albrecht II. aus dem Hause Habsburg 1332. Sie erhielt den Namen „Maria Thron". 450 Jahre blieb die Kartause im Besitz des Ordens der schweigenden Mönche. 1782 wurde das Kloster aufgehoben.

Die **Pfarrkirche St. Philipp und Jakob** (Pfarre 1274) ist eine spätgotische Hallenkirche, die 1710 barockisiert und durch die Marienkapelle erweitert wurde. Bemerkenswert ist ein Epitaph des Stifters der Kartause (1797) Herzogs Albrecht II. von Österreich. Im spätgotischen Südtor ein Vesperbild aus dem 15. Jh. Die **Kartause Marienthron** war die größte Kartause der deutschen Ordensprovinz. Die **Klosterkirche Mariä Himmelfahrt** (1332 – 42 erbaut) war nach der Kartäuserregel ein einschiffiger Bau, der 1782 profaniert, 1928 aber wiederhergestellt wurde. Den gotischen Bau schmücken ein reichverzierter Dachreiter, schöne Maßwerkfenster und Wasserspeier. Im Inneren ist das gotische Kreuzrippengewölbe mit alter Bemalung erhalten. An der Westseite liegt das figurenreiche Marmortor mit den Stifterstatuen (1631). Sehenswert ist auch das **Kloster** mit seinem mächtigen Torturm (17. Jh.). Erhalten haben sich der Priorenhof mit Laubengängen und Freitreppen, die ehem. Prälatur, Prälatensaal, (reiche Stuckdecken), der Bibliothekssaal (Fresken, Stuck) und eine Haus-Kapelle von 1700. Die Mönchszellen aus dem 14. Jh. sind typisch für gotische Häuser der Gegend. Gaming ist Ausgangspunkt für Ausflüge in den **Naturpark Ötscher-Tormäuer.**

GARS am Kamp E 2

Höhe: 256 m ü. d. M. — Einwohner: 3800. — Postleitzahl: A-3571. — Telefonvorwahl: 0 29 85. — Auskunft: Marktgemeinde Gars am Kamp, Rathaus, Tel.: 22 25.

Gars am Kamp ist ein Urlaubsort mit Tradition, Niveau und Kultur. Natürlich hat sich der freundliche, romantische Markt auch den Erfordernissen des modernen Tourismus angepaßt und bietet außer Kurpark und Schwimmbad auch herrliche Wanderwege und Ausflugsmöglichkeiten in die Umgebung.

Geschichte: Gars gehört zu den Urpfarren des Waldviertels und taucht zum ersten Male urkundlich 1136 unter den 13 Eigenpfarren der Babenberger auf. Schon 987 soll aber unter den Franken hier eine Burg gegen die Awaren gestanden haben. Der Babenberger Markgraf Leopold II. der Schöne residierte hier (1075 – 1095) und wurde in der Burgkapelle bestattet. Einige bedeutende Geschlechter hatten nach den Babenbergern auf der Burg ihren Sitz (u. a. Kuenringer und Teufel). Früh entstand im Schatten der Burg die Kirche. 1135 erhielt sie unter Leopold dem Heiligen Pfarrechte und wurde Mutterpfarre für ein weites Gebiet. Ende des 13. Jh. wurden die Bewohner von Gars schon Bürger genannt und die Marktrechte wurden 1513 bestätigt. Als 1889 die Kamptalbahn eröffnet wurde, wurde Gars zur beliebten Sommerfrische der Wiener.

Sehenswertes in Thunau:
Die **Pfarrkirche St. Gertrud** gehört zum Burgbereich. Das Gotteshaus

ist ein besonderes Kunstjuwel. Der Bau stammt im Grunde noch aus der Zeit vor 1250. In allen Kunstepochen wurde aber an der Kirche gebaut. Die Raumwirkung ist licht und weit. Zu erwähnen ist eine gotische Sakramentsnische im Chor mit einer Barockfigur. In der Johanneskapelle sehr schöne zierliche, spätgotisch, Architektur. Größter Schatz der Kirche sind die hervorragenden Chorfenster. Sieben von ihnen stammen aus der Zeit um 1330. Leider ziemlich schlecht erhalten sind die zahlreichen mittelalterlichen Fresken. Der **Karner,** ein frühgotischer Rundbau aus dem 14. Jh., ist Grabstätte der Fürsten Croy und durch Restaurierung beeinträchtigt. Die **Burgruine** ist eine der umfangreichsten des Landes. In der Mitte liegen die Reste des Palas aus dem 11. Jh., sie sind noch von der urspr. Wehrmauer umgeben. Der achteckige Nordturm, heute Diebesturm genannt, war der Bergfried. **Rekonstruktion** eines Teiles des **slawischen Ringwalls** auf der „Schanze" mit Torturm (Auskunft über Führungen:(0 29 85) 22 25 oder 26 80).

Sehenswert in Gars:
Die **Marktkirche St. Simon und Judas Thaddäus** wird 1387 erwähnt. Nach Bränden 1620 und 1724 wurde um 1730 eine Saalkirche mit einfachem Langhaus und Flachdecke geschaffen. Nach 1945 Erweiterung. Im Ort gibt es einige gute Renaissancebauten zu sehen: das **Rathaus** (1593), den **Pfarrhof** (1595) mit Rundbogentor und Erker, das **Kloster der Redemptoristinnen** (1390 Meierhof der Herrschaft Gars) mit Kirche aus dem 19. Jh., die **Spitalskapelle** mit Hochaltar aus dem 17. Jh. Die **Pestkapelle** ist ein Barockbau von 1680. Die **Dreifaltigkeitssäule** stammt von 1765. Sehenswert ist das **Heimatmuseum** in der alten Hauptschule, die **Suppé-Gedenkstätte** in der Kremser Str. 40.
Ausgrabungsdokumentation „5000 Jahre Siedlung im Garser Raum", Hauptplatz neben Gemeinde. **Handelsmuseum**: Ausstellung „Handel im Wandel" bei Fa. Kiennast, Hauptplatz 7 (Auskunft dort). **Bio-Trainingszentrum** von Willi Dungl.
Alle Museen werden nur auf Terminvereinbarung geöffnet (0 29 85) 22 25 oder 26 80.
Hoch auf einem Felsen in einer Kampschleife liegt 3 km südlich die **Burg Buchberg.** Die ursprüngl. mittelalterliche Burg wurde in der Renaissance zum Schloß umgebaut.

GERAS E 1

Höhe: 460 m ü. d. M. — Einwohner: 600. — Postleitzahl: A-2093. — Telefonvorwahl: 0 29 12. — Auskunft: Stadtgemeinde Geras, Hauptstr. 16, Tel.: 2 16.

Geras, der kleine Ort im Waldviertel, bietet wirklich jedem etwas. Hier findet man Ruhe und Erholung, kann einem Hobby nachgehen oder sich als Kunstfreund betätigen.
Geschichte: Die Geschichte von Geras beginnt 1153, als Graf Ulrich von Pernegg das Kloster gründete und an die Prämonstratenser übergab. Das nördlichste Kloster Österreichs wurde nie aufgelöst, mußte aber oft sehr schwere Zeiten mitmachen. 1620 wurde das Kloster durch die Mansfeldschen Truppen fast vollkommen zerstört. Seit 1970 erlebt das Stift einen großen Aufschwung unter der

Initiative von Provisor Professor Dr. Dr. Joachim Angerer. Es entstand ein großes Freizeitzentrum, in dem jedermann unter fachkundiger Leitung lernt, schöne Dinge aus Kunst, Volkskunst und Kunsthandwerk anzufertigen.
Die Stadterhebung erfolgte 1928.
Die kleine Stadt hat ihren Dorfcharakter behalten. Das barocke **Forsthaus** des Stifts mit doppelter Freitreppe liegt in der Bahnhofstraße.
Starke Mauern und runde Türme erinnern an die ehemalige Wehrhaftigkeit der Anlage beim **Prämonstratenser-Chorherrenstift**. Mittelpunkt ist der 1736 – 40 erbaute Barockbau von Josef Munggenast. Ein großartiges Treppenhaus bringt den Besucher in den Marmorsaal mit dem riesigen Deckenfresko von Paul Troger. Weiter erwähnenswert sind Bischofszimmer, der Stiftshof, der Kirchenhof und der schöne Garten. Der Schüttkasten stammt von 1670, der Meierhof von 1666. Auch ein Hotel und ein Restaurant sind heute im ehem. Schüttkasten untergebracht. Es finden ständig Konzerte, Stiftsführungen und Hobbykurse statt. Ein Prunkstück des Stifts ist natürlich die **Pfarr- und**

Chor der Pfarr- und Stiftskirche Geras

Stiftskirche Mariä Geburt. Sie ist im Kern eine romanische Basilika mit gotischem Chor, wurde aber im 17. Jh. frühbarock umgebaut. Ungewöhnlich ist die aufwendige Innenarchitektur an den Wänden. Im Gegensatz zum dunklen Langhaus ist der Chor lichtdurchflutet. Der tempelartige Hochaltar birgt das hochverehrte Gnadenbild, eine Marienstatue (um 1500), die als einziges mittelalterliches Ausstattungsstück den Schwedensturm von 1620 überstanden hat. Die Seitenaltäre enthalten Bilder von Altomonte und Maulpertsch. Die prächtige Kanzel mit vielen vergoldeten Figuren stammt von 1731. Im Chorgestühl fällt der Abtstuhl durch zwei mächtige Adler auf. Einen Besuch wert ist auch der nahegelegene **Naturpark.** Hier findet man neben Ruhe und Erholung einen Karpfenteich mit heimischen Wasserwildarten, Hirsche, Rehe, Wildschweine und im Wildpark auch Auerochsen und Mufflons. Campingplatz und Waldbad laden ein.
Im 7 km südöstlich gelegenen **Starrein** ist das heute noch von einem Wassergraben umgebene **Schloß** (16. Jh.) sehenswert: interessante gotische Kapelle und Arkadenhof.
In **Oberhöflein** (5 km östlich) sollte man sich in der mächtigen Pfarrkirche unbedingt die lebensgroße Muttergottesfigur aus dem 15. Jh. ansehen. Das Wasserschloß stammt aus dem 16. Jh.
Die **Wallfahrtskirche Maria im Gebirge** (ca. 9 km südöstlich) wird von einer gotischen Bruchsteinmauer umgeben. Besonders bemerkenswert ist die Nordkapelle mit reichem Netzrippengewölbe (16. Jh.) und am rechten Seitenaltar ein Kreuzigungsbild vom Kremser-Schmidt.
Ca. 11 km südlich von Geras liegt **Pernegg.** Hier sollte man sich die **ehem. Stifts- und Pfarrkirche St. Andreas** unbedingt anschauen. Vom alten Kirchenbau stammt noch der mächtige burgartig übers Eck gestellte Westturm. Das spätgotische Langhaus mit einem zarten Netzgewölbe entstand 1500 – 1520. Der ursprünglich freistehende Karner aus der 1. Hälfte des 14. Jhs. ist in den gotischen Kirchenbau als Taufkapelle integriert. Bauliche Veränderungen erfolgten besonders durch den Einbau der Emporen 1651. Ab 1690 wurde die Kirchen, ohne die Gotik allzusehr zu verdecken, barockisiert. Auch die moderne Kunst ist in der Kirche in Form von Glasfenstern vertreten. Die **ehem. Stiftsgebäude** machen auch heute noch den Eindruck einer stolzen Kirchenburg. Die meisten Einrichtungen und Gebäude stammen aus dem 17. Jh. Vom Nonnenkloster wurde der nördliche Kreuzgangflügel ausgegraben und im Konferenzsaal hat sich eine spätgotische Balkendecke erhalten.

GLOGGNITZ EF 6

Höhe: 442 m ü. d. M. — Einwohner: 6300. — Postleitzahl: A-2640. — Telefonvorwahl: 0 26 62. — Auskunft: Stadtgemeinde Gloggnitz, Tel.: 24 01.

Die „Stadt in den Bergen" liegt in einem landschaftlich herrlichen Talkessel am Ende des Schwarzatales. Sie ist ein idealer Ausgangspunkt für Wanderungen und Tagestouren.
Geschichte: Das Wiener Becken, und damit auch die Gloggnitzer Bucht, gehört zu den alten Siedlungsgebieten des Landes. Schon am Ausgang der Altsteinzeit

(um 10 000 v. Chr.) drängen Jäger ins Schwarzatal bis in die Gloggnitzer Gegend vor. Die Siedlungstätigkeit setzte erst mit dem Wirken der Benediktinermönche und ihrer bayrischen Landsleute ein, nachdem 1094 n. Chr. Graf Ekbert I. von Formbach-Neuburg-Pitten den Formbacher Mönchen ein Stück Land am Zusammenfluß von Weißenbach und Schwarza geschenkt hatte. 1548 scheint zum ersten Mal urkundlich ein Bürger zu Gloggnitz auf, 1556 ist der „Marckht" Gloggnitz wegen seines befestigten Klosters im Verzeichnis der Zufluchtsorte enthalten. Ein großer Aufschwung in Gloggnitz setzte mit dem Bahnbau ein. Am 5. Mai 1842 war die „Wien-Raaber-Bahn" bis Gloggnitz befahrbar und 1854 der Übergang über den Semmering hergestellt (erste Bergbahn Europas). Mit Beschluß des Landtages vom 20. 10. 1926 wurde Gloggnitz zur Stadt ernannt.

Das **Schloß** ist die ehemal. Probstei des Benediktinerklosters Formbach. Um 1084 durch Graf Ekbert I. gegründet, wurde es 1803 aufgehoben. Das Schloß wurde im 16. Jh. stark befestigt. In der Mitte des Schloßhofes liegt freistehend die **Pfarrkirche Maria Schnee.** Der ursprüngl. gotische Bau (Pfarre um 1094) wurde 1692 barockisiert. Sehenswert sind eine reiche Stuckdecke und der Hochaltar von 1701. In der Liebfrauenkapelle Wandmalereien von 1597 und am Altar eine Muttergottesstatue aus dem 14. Jh.

Am Dr.-Karl-Renner-Platz liegt die gotische **Marktkapelle St. Othmar** mit Kreuzrippengewölbe und spätgotischen Fenstern. Zu erwähnen sind außerdem noch das **Renner-Museum** (Bundespräsident Dr. Karl Renner wohnte in Gloggnitz), der **Ritter-von-Ghega-Park** mit dem Gedenkstein für den Erbauer der Semmeringbahn und das **Brot- u. Mühlen-Lehr-Museum** in der Dirnbachermühle. **Museum in der Schloßkirche** der Pfadfinder-Gilde Wartenstein-Gloggnitz: Benediktiner in Gloggnitz mit jährlicher historischer Sonderausstellung.

GMÜND C 2

Höhe: 507 m ü. d. M. — Einwohner: 7500. — Postleitzahl: A-3950. — Telefonvorwahl: 0 28 52. — Auskunft: Stadtamt Gmünd, Tel.: 25 06.

Gmünd ist die nordwestlichste Bezirksstadt Österreichs. Die schöne alte Stadt liegt direkt an der Grenze zur Tschechoslowakei. Sehenswürdigkeiten aus Kultur, Geschichte und Natur laden ein.

Geschichte: In einer Urkunde Kaiser Friedrich Barbarossas aus dem Jahre 1149 wird als Grenzpunkt zwischen Österreich und Böhmen ein „concursus duorum rivolorum" (= Zusammenfluß zweier kleiner Flüsse) genannt. Diese Situation besteht in Gmünd heute noch. Die Burg und die Stadt wurden im 12. Jh. von den Kuenringern gegründet. Die Stadt hatte von vornherein Marktfunktion und mußte infolge vieler Kriege auch viele Notzeiten mitmachen. Einen großen Aufschwung erlebte sie durch die Erbauung der Kaiser-Franz-Josef-Bahn. Um den Bahnhof entstand sogleich ein neuer Stadtteil. Mit dem Friedensvertrag von St. Germain wurde 1920 die Grenze durch die Stadt gezogen. Die Schließung dieser Grenze brachte 1945 den Verlust dieses Stadtteils mit sich.

Das Patrozinium der **Pfarrkirche St. Stephan** deutet auf eine Missionierung durch Passau hin. Das hohe Alter der gotischen Basilika wird durch romanische Mauerteile bestätigt. Sehenswert sind eine gotische Sakraments- und Sitznische, im Chor gotische Fresken, verschiedene Grabsteine und eine barocke Rochusstatue. Die übrige Ausstattung ist neugotisch. In der Stadt sind besonders die beiden **Sgraffitohäuser**

Sgraffitohäuser in Gmünd

am Hauptplatz (Nr. 31 und Nr. 33) sehenswert. Das **Alte Rathaus,** ein Renaissancebau mit Barockgiebel, steht in der Mitte des Platzes und beherbergt heute das **Stadtmuseum.** Das **Schloß** geht im 16. Jh. aus der alten Kuenringerburg hervor. Es besteht aus vier glatten Flügeln um einen fast quadratischen Hof (malerischer Torbau). Sehenswert ist auch das **Stein- und Glasmuseum** am Stadtplatz (Nr. 34), das von Mai bis September geöffnet ist (Sa. und So. nur vormittags).

Zwischen Gmünd und Schrems erstreckt sich der **Naturpark Blockheide** mit prächtigen Felsformationen und alten Bäumen. Lehrpfade und ein Geologisches Freilichtmuseum laden zum Besuch ein. Ebenfalls interessant ist die östlich anschließende **Hoheneicherweide** mit Sumpfwiesen, Heideflächen, kleinen Teichen und Waldgebieten.

Nördlich der Stadt liegt **Hoheneich** mit der **Pfarr- und Wallfahrtskirche Unbefleckte Empfängnis.** Andreas Zach errichtete 1776 – 1784 die heute bestehende Kirche. Sie ist ein Zentralbau mit ovalem Hauptraum und anschließendem Chor. Mittelalterlich sind noch die Gnadenstatue (1408), eine Wolfgangfigur (1490) und die berühmte „Mirakeltür".

Schrems liegt 6 km nördlich von Gmünd und besitzt ein sehenswertes **Schloß.** Es wurde 1635 an der Stelle einer alten Burg errichtet und in der Barockzeit verändert. Am interessantesten ist die Westfassade mit zwei prunkvollen Toren.

Im 6 km südöstlich von Gmünd gelegenen **Waldenstein** sollte man sich die **Pfarrkirche St. Michael** anschauen, die aus einer romanischen Burgkapelle hervorging. 1480 wurde das Langhaus umgebaut und der Chor angefügt.

GNADENDORF G 2

Höhe: 271 m ü. d. M. — Einwohner: 1300. — Postleitzahl: A-2152. — Telefonvorwahl: 0 25 25. — Auskunft: Gemeindeamt Gnadendorf, Tel.: 2 14.

Gnadendorf liegt nördlich der Leiser Berge im östlichen Weinviertel.
Geschichte: Die erste urkundliche Erwähnung des Ortes fand 1113 als „Gnannendorf" statt. 1403 kam Gnadendorf an die Liechtensteiner. 1543 ist der Besitzer Christoph Kuenritz. 1650—1822 ist es im Besitz der Sinzendorfer und seit 1828 der Reuss-Köstritz. Gnadendorf hatte oft unter Grenzkämpfen mit Ungarn und Böhmen zu leiden.

In besonderer Hochlage steht die **Pfarrkirche St. Johannes d. T.** Der Chor (16. Jh.) enthält bemerkenswerte Übergangsformen von der Gotik zur Renaissance. Der prächtige Hochaltar entstand um 1700, die Seitenaltäre 1720. Aus dem 17. Jh. ist die Kanzel mit einem figurenreichen Schalldeckel, um 1750 entstand die Orgel. Der sechseckige Taufstein ist spätgotisch.

Ca. 10 km nördlich liegt **Fallbach** mit der gotischen **Pfarrkirche St. Lambertus** (14. Jh.). Kreuzrippengewölbtes Eingangstor an der Südseite und schönes spätgotisches Hauptportal.

Ebenfalls nördlich von Gnadendorf liegt **Loosdorf.** Der kreuzförmige Bau der **Pfarrkirche Hl. Dreifaltigkeit** entstand 1748—51. Das Innere ist klassizistisch einfach, aber in kräftigen Formen und warmen Farben. Das alte **Schloß** wurde 1644 von den Schweden zerstört. Der heutige Bau stammt aus dem 17. Jh. Die Fassadendekorationen entstanden um 1810, Inneneinrichtung 18. Jh. Die **Ruine „Hanselburg"** wurde Ende des 18. Jhs. erbaut.

GÖLLERSDORF F 3

Höhe: 199 m ü. d. M. — Einwohner: 2400. — Postleitzahl: A-2013. — Telefonvorwahl: 0 29 54. — Auskunft: Gemeindeamt Göllersdorf, Tel.: 2 65.

Göllersdorf, der freundliche Markt im westlichen Weinviertel ist mit der Loretokirche, der Pestsäule und Schloß Schönborn ein Barockjuwel.

Die **Pfarrkirche St. Martin** (Pfarre vor 1500) ist ein Neubau von 1740/41 durch Johann Lukas v. Hildebrandt. Der Giebel der Westseite ist durch eine Reiterstatue des hl. Martin gekrönt. Der noch gotische Nordturm bekam durch Hildebrandt eine Barockhaube. Im Inneren eine einheitliche Ausstattung des 18. Jhs., außen Wappen- und Grabsteine (16.—19. Jh.) und ein spätgot. Relief des hl. Martin. Ein schöner Bau von 1785 ist der **Pfarrhof.** Vom berühmten Barockbaumeister J. L. v. Hildebrandt stammt auch die **Loretokirche** mit der Gruft der Grafen von Schönborn-Buchheim. Sie entstand im Jahre 1694. Beachtenswert sind vier Altäre in Wandnischen nach Zeichnungen Hildebrandts. In der Kuppel großes Fresko von J. Rudolf Byß. Die Raumwirkung ist durch vergoldete Ornamente hervorgehoben und sehr hell. Das **Schloß** der Herren von Puchheim (um 1500) ist heute Justizanstalt. Sehr sehenswert ist die **Pestsäule,** 1731 nach Entwurf von J. L. v. Hildebrandt errichtet, mit reichem Reliefschmuck und ausgezeichneten Bildwerken.

Ca. 5 km südlich von Göllersdorf liegt das **Schloß Schönborn**. Es wurde 1712—17 durch Johann Lukas von Hildebrandt erbaut. Das Hauptgebäude liegt hufeisenförmig um einen Hof. Daran wurden etwas später weitläufige Nebengebäude angebaut. Malerische Tiefenwirkung der Hofseite und geschlossene, einheitliche Gartenfront. Die **Kapelle** mit Gemälden von P. Strudel (um 1714) enthält Familienbilder der von Schönborn. Sehr malerisch wirkt die gegenüber dem Schloß liegende 1717 vollende **Orangerie**.

Ca. 15 km südwestlich von Göllersdorf liegt der Markt **Großweikersdorf**. Hier sollte man sich unbedingt die **Pfarrkirche St. Georg** ansehen. Der prächtige Barockbau wurde 1733—40 von Joseph Emanuel Fischer von Erlach d. J. nach Plänen Johann Bernhard Fischers von Erlach erbaut. Das St.-Georgs-Bild am Hochaltar schuf Martin Altomonte 1734.

GRESTEN im Ötscherland C 5

Höhe: 406 m ü. d. M. — Einwohner: 1800. — Postleitzahl: A-3264. — Telefonvorwahl: 0 74 87. — Auskunft: Gemeindeamt Gresten, Badgasse 1, Tel. 23 10.

Gresten bietet dem Urlauber alles, was das Herz begehrt: von ausgedehnten Wander- und Spazierwegen über Schwimmbad, Tennis, Bücherei bis zu gepflegten Gaststätten und Pensionen. 1984 wurde der freundliche Ort vom Österreichischen Gemeindebund im Rahmen der Aktion „Umwelt- und Ortsbildpflege" mit dem Prädikat „sehr gut" ausgezeichnet.

Geschichte: Erste urkundliche Erwähnung 1256. Es ist eine gewachsene Siedlung in Tallage.

Die spätgotische **Pfarrkirche St. Nikolaus** wurde 1482 erbaut. Im etwas älteren Chor Netzrippengewölbe. Der spätgotische **Karner** ist heute Wohnhaus. Das **Schloß Stiebar** wurde 1597 durch H. F. Zinzendorf erbaut. Gründlicher Umbau 1790 durch J. v. Stiebar. An der Ostseite ist eine spätgotische Kapelle mit großen Ölgemälden aus der Kartause Gaming erhalten. Ein **Heimatmuseum** lädt zum Gang durch die Geschichte ein.

GUMPOLDSKIRCHEN FG 5

Höhe: 260 m ü. d. M. — Einwohner: 2990. — Postleitzahl: A-2352. — Telefonvorwahl: 0 22 52. — Auskunft: Marktgemeinde Gumpoldskirchen, Tel.: 6 21 01.

Am Fuße des Anningermassivs liegt die Marktgemeinde Gumpoldskirchen inmitten von Weinbergen, in denen die berühmten Trauben reifen, die den Ort in aller Welt bekannt gemacht haben.

Geschichte: Urkundlich erwähnt finden wir Gumpoldskirchen schon um das Jahr 1140, doch im Laufe der Jahre wurde der Ort mehrfach zerstört (Türkenkriege). Funde wurden aus Hallstattzeit und Steinzeit gemacht.

Die **Pfarrkirche St. Michael**, eine dreischiffige Hallenkirche, stammt aus der ersten Hälfte des 15. Jhs. (Pfarre vor 1000). Bemerkenswert sind Statuen der Heiligen Johannes Ev. und Petrus (um 1400). Angebaut ans rechte Schiff eine gotische Kapelle mit neugotischem Altar (spätgot. Muttergottes und 4 Heilige). Das **ehem. Schloß** (18 Jh.) war einst mit der Kirche von einem heute noch z. T. erhaltenen Wassergraben umgeben. Es hat eine spätbarocke Einrichtung mit einigen guten Bildern. Das **Rathaus,** ein Laubenbau mit viergeschossigem Eckturm, wurde im 16. Jh. erbaut, der **Pranger** 1563 aufgestellt. Am Platz steht ein **Brunnen** mit Bassin aus einem römischen Sarkophag und Barockaufbau (17. Jh.). Im Ort einige sehenswerte Häuser von der Gotik bis ins 18. Jh.

Einen besonderen Anziehungspunkt bilden die **Weinfeste,** die jährlich abgehalten werden.

GUNTERSDORF F 2

Höhe: 250 m ü. d. M. — Einwohner: 1100. — Postleitzahl: A-2042. — Telefonvorwahl: 0 29 51. — Auskunft: Gemeindeamt Guntersdorf, Tel.: 2 47.

Der Markt Guntersdorf liegt im westlichen Weinviertel.

Geschichte: Erstmals urkundlich erwähnt wurde Guntersdorf als „Gunthartisdorf" im Jahre 1108. Die Falkenberger, mit den Kuenringern verwandt, hatten hier von 1257—1295 die Grundherrschaft. 1336 fiel König Johann von Böhmen im Lande ein und eroberte auch die Burg Guntersdorf. Seit 1703 sind die Freiherren von Ludwigstorff die Inhaber des Gutes. Urkunden von 1583 und 1584 zeigen an, daß der Pranger dem Landgericht Guntersdorf als Schandpfahl diente.

Die **Pfarrkirche Mariä Himmelfahrt** ist eine dreischiffige gotische Basilika mit Kreuzrippengewölbe im Chor und flachgedecktem Langhaus. Sehr sehenswert ist das 8 m hohe Sakramentshäuschen von 1505. Über dem gotischen Seitentor sind Reliefs aus dem Jahre 1330 eingemauert. Der Hochaltar entstand um 1725 und die hübsche Rokokokanzel 1775. Das **Schloß** ist bereits 1108 beurkundet. 1536 wurde ein Neubau errichtet. Im Inneren ist eine Halle mit schönem spätgotischen Netzrippengewölbe bemerkenswert (Wappenschlußsteine). Arkadenhof. Beachtenswert sind auch das **Renaissance-Rathaus** und der **Pranger** (1563). Im Ort gibt es noch viele **schöne alte Häuser** aus dem 16.—18. Jh.

Ca. 10 km östlich liegt der Markt **Mailberg** (urkundl. um 1400, 1128 Hospitz, 1514 Markt). Die **Pfarrkirche St. Johannes d. T.** liegt beherrschend innerhalb der Schloßanlage. Der imposante Bau stammt von 1608. Bemerkenswert im Inneren sind: Holzfiguren Johannes d. T. und Muttergottes mit Kind (beide 15. Jh.) und eine Holzgruppe Beweinung Christi aus der Donauschule um 1520. Die **Friedhofskapelle** enthält einen Flügelaltar von 1460. Das **Schloß** (Kommende des Malteserordens) wurde 1595 erbaut, 1762 gründlich umgebaut. Die mächtige Anlage ist von Graben und Ringmauer umgeben.

Ca. 6 km südl. von Guntersdorf liegt **Wullersdorf.** Jakob Prandtauer und Franz Munggenast leiteten den bemerkenswerten barocken Umbau der großen spätgot. **Pfarrkirche St. Georg.** Der roman. Karner wurde ebenfalls barockisiert. Gotischer Pranger mit Schließeisen.

GUTENSTEIN EF 6

Höhe: 482 m ü. d. M. — Einwohner: 1700. — Postleitzahl: A-2770. — Telefonvorwahl: 0 26 34. — Auskunft: Büro der Region Niederösterreich-Alpin, A-2620 Neunkirchen, Brunnenplatz 3, Tel. (0 26 35) 41 02.

Seit über 100 Jahren kommen erholungssuchende Städter nach Gutenstein, dem Herz des Piestingtales, um in reizvoller Landschaft die ozonreiche Luft der Schwarzföhren- und Fichtenwälder genießen zu können.

Geschichte: Bis zur Schlacht auf dem Lechfeld im Jahre 955 läßt sich die Geschichte des Gebietes um Gutenstein zurückverfolgen. Um 1200 wurde die Burg Gutenstein erbaut und zum Mittelpunkt der Gegend. Friedrich der Schöne, der 1330 auf der Burg starb, verlieh dem Ort 1321 das Marktrecht.

Die **Pfarrkirche St. Johannes d. T.** ist ein spätgotischer Bau mit 1857 angebautem Turm. Bemerkenswert sind der Chor (1487) mit Sternrippengewölbe und Rokokohochaltar (1755), eine spätgot. Muttergottes aus Holz (15. Jh.), Johannes d. T. (15. Jh.) und die Seitenaltäre aus dem 17. Jh. Auf dem Friedhof das Grabmal des Dichters Raimund († 1836). Das **Schloß** wurde 1634 erbaut und 1816/18 umgebaut, ein dreigeschossiger Bau um einen Arkadenhof. Die **Burgruine Gutenstein** wurde unter Leopold VI. (urk. 1220) als feste Burg erbaut. 1529 hielt sie den Türken stand, seit 1595 war sie jedoch dem Verfall preisgegeben. Es sind noch stattliche Reste der Burg zu sehen (Küche, Bergfried). Die **Mariahilferberg-Kirche** wurde 1668 als Wallfahrtskirche erbaut und 1712/24 vergrößert. Es ist eine Barockkirche in einfacher Form. Eigenwillig ist die Anordnung des Querschiffes unter dem Turm und vor dem Langhaus. Bemerkenswert ist die barocke und Rokoko-Einrichtung. Der Hochaltar aus dem 18. Jh. ist mit ausgezeichneten Holzbildwerken geschmückt.

STADT HAAG AB 4

Höhe: 345 m ü. d. M. — Einwohner: 5100. — Postleitzahl: A-3350. — Telefonvorwahl: 0 74 34. — Auskunft: Stadtgemeinde Haag, Rathaus, Tel. 24 23-0 und 21 37-0.

Haag ist das Herz des Niederösterreichischen Mostviertels. Im Mai verwandeln Tausende von Obstbäumen das Land in ein Blütenmeer und im Herbst wird aus Äpfeln und Birnen der Most gepreßt.

Aber auch für den Kunst- und Kulturfreund hat Haag viel zu bieten.
Die **Pfarrkirche St. Michael,** die sich auf dem sehenswerten und idyllischen Hauptplatz befindet, wurde im Jahre 1032 erbaut. Im Jahre 1435 wurde sie vollständig zu einer gotischen Wehrkirche, umgeben von einer Mauer mit Schießscharten und Zinnen, umgebaut. Die dreischiffige Hallenkirche ist mit einem reichen Netzrippengewölbe ausgestattet. Einige Strebepfeiler sind mit Fialen und Maßwerk geschmückt. Einen Besuch wert ist das **Mostviertel-** und **NÖ-Freilichtmuseum** mit einer reichhaltigen Sammlung aus der bäuerlichen Kultur- und Arbeitswelt. Im Freilichtmuseum befindet sich auch ein **Heilkräutergarten.** Der **Haager Tierpark,** mit seinem vielfältigen Bestand heimischer und exo-

tischer Tiere, zählt zu einem der schönsten Erholungsgebiete. Fischereimöglichkeit im Tierpark (Forellen und Karpfen). Unmittelbar in der Nähe des Tierparks liegt das **Schloß Salaberg,** das im 13. Jh. erbaut wurde. Im 16. Jh. erfolgte der Umbau zum Renaissanceschloß.

HADERSDORF am Kamp (mit KAMMERN) E 3

Höhe: 202 m ü. d. M. — Einwohner: 1000. — Postleitzahl: A-3493. — Telefonvorwahl: 0 27 35. — Auskunft: Gemeindeamt Hadersdorf/Kammern, Tel.: 3 09.

In Hadersdorf am Kamp bietet sich ein kunstgeschichtliches Kleinod dar. Es ist aber auch ein ruhiger Erholungsort, der als Ausgangspunkt für Ausflüge in das Kamptal und die Wachau sehr geeignet ist. Kammern ist ein alter Weinort.

Geschichte: Seit dem Neolithikum siedeln hier Menschen, wie durch Funde bewiesen wurde. Den Aufschwung von Hadersdorf bewirkte besonders die Brücke der Fernstraße über den Kamp. In Hadersdorf versammelten sich damals die Händler, um zusammen das gefährliche Waldland im Norden zu durchziehen. Davon kündet noch heute der herrliche große Marktplatz.

Eine Attraktion ersten Ranges ist der historische **Marktplatz.** Er steht als Ganzes als Denkmal unter dem Schutz der Haager Konvention. Kaum an einem anderen Ort ist ein Platz als Ganzes so wunderbar erhalten. In der Häuserfront stehen schöne Häuser aus Barock und Renaissance, Höhepunkte der Architektur sind: Karner, Kirche, Rathaus und Nepomukkapelle. Der **Karner** ist ein romanischer Rundbau (13. Jh.) mit Halbkreisapsis und Rundbogenfries. Der Portalvorbau entstand um 1270 (Stufenportal mit Knospenkapitellen). Die **Pfarrkirche**

Schloß Grafenegg

St. Peter und Paul wurde auf alten Grundmauern in der Mitte des 18. Jh. errichtet. Die Ausstattung stammt ebenfalls aus Barock und Rokoko. Die **Nepomukkapelle** ist ein schöner offener Säulenbau von 1750. Daneben das **Rathaus**. Es ist ein stattlicher Renaissancebau mit bemerkenswerter pyramidengekrönter Fassade. Im Rathaus das sehenswerte **Heimatmuseum**. Aus dem 16. Jh. stammt der **Pranger**.
Ca. 5 km südlich von Hadersdorf liegt das **Schloß Grafenegg**. Es ist ein gutes Beispiel des romantischen Historismus. 1294 wurde es erstmals erwähnt, vom Wiener Dombaumeister Leopold Ernst 1840 – 1873 im damaligen Stil der englischen Schlösser umgebaut. Im Schloß finden laufend Konzerte und Veranstaltungen statt. Herrlicher Schloßpark mit über 200 z. T. exotischen Baumarten. Im Dezember „Grafenegger Advent". Auskunft: Schloßverwaltung, Tel. (0 27 35) 2 05.

HAFNERBACH D 4

Höhe: 250 m ü. d. M. – Einwohner: 1400. – Postleitzahl: A-3385. – Telefonvorwahl: 0 27 49. – Auskunft: Marktgemeinde Hafnerbach, Tel.: 22 78.

Die Marktgemeinde Hafnerbach bietet dem Gast erholsamen Aufenthalt in unverfälschter Natur am Fuße des Dunkelsteiner Waldes. Aber auch der Kunst- und Kulturfreund kommt auf seine Kosten.

Geschichte: Erste urkundliche Erwähnung Anfang des 12. Jhs. als „Hauenaerbach". Mit der Burg Hohenegg (11. Jh.) und ihren Besitzern (u. a. Raimund v. Montecuccoli) ist Hafnerbach eng mit der österreichischen Geschichte verbunden. 1966 wurde der Marktgemeinde ein Wappen verliehen, und 1971 feierte der Markt seine 750-Jahr-Feier.
Die ehemals romanische **Pfarrkirche St. Zeno** (1248) wurde im 17. Jh. barockisiert. Die ehemalige Wallfahrtskirche besteht aus einer einschiffigen Halle und barockisiertem Chor der Gotik. Andreas Marstaller versah das Langhaus mit schönem Stuck, die Malereien stammen von Karl Johann Ritsch (übermalt). Spätgotischer Taufstein. Die **Bildsäule** beim Zenostein am Zenobach (1725) besitzt angeblich Fußabdrücke des hl. Zeno. Die **Burgruine Hohenegg** stammt aus dem 12. Jh. Die einst mächtige Anlage, von der stattliche Ruinen erhalten sind, war seit 1850 dem Verfall preisgegeben. Herrliches Panorama! Das **Heimatmuseum** in der Volksschule zeigt den Raimund-v.-Montecuccoli-Gedächtnisraum, zahlreiche Exponate des bäuerlichen und handwerklichen Lebens und der 7000jährigen Geschichte Hafnerbachs.
Hafnerbach ist Ausgangspunkt des „Dunkelsteiner Rundwanderweges" (Nr. 653, 120 km).

HAINBURG an der Donau I 4

Höhe: 165 m ü. d. M. – Einwohner: 6000. – Postleitzahl: A-2410. – Telefonvorwahl: 0 21 65. – Auskunft: Stadt Hainburg, Tel.: 21 11.

Die östlichste Stadt Österreichs liegt im March-Donauland an der österreichisch-ungarischen und tschechoslowakischen Grenze. Sie bietet dem Gast alle Arten von Freizeitbeschäftigung und dem kunst- und kulturgeschichtlich Interessierten einige bedeutende Sehenswürdigkeiten.

Geschichte: Gründung der Stadt und Herkunft ihres Namens sind bis heute nicht restlos geklärt. Zwischen 892 und 907 wurde auf dem Schloßberg die Burg errichtet. Wirtschaftlichen Aufschwung und Wohlstand brachten die Babenberger der Stadt, unter denen sie bis zur Doanu erweitert, mit Mauern, Türmen und Toren befestigt zu einer mächtigen Burgstadt ausgebaut wurde. 1451 bekam die Stadt ein Grundsiegel verliehen. Vom vollständigen Niedergang nach dem Türkenjahr 1683 erholte sich die Stadt nur sehr langsam, wobei die Gründung einer Tabakmanufaktur 1724 eine wesentliche Rolle spielte.

Die alte Grenzfeste kann noch mit wehrhaften **Stadtmauern,** Türmen und Toren aufwarten. Das **Wiener Tor** ist eines der wertvollsten Stadttore des deutschen Kulturbereichs. Es wurde in der zweiten Hälfte des 13. Jhs. erbaut. Etwas älter ist das **Ungartor.** Das **Fischertor** (nach 1300) und weitere zwölf Türme vervollständigen den wehrhaften Charakter der Stadtbefestigung. Die weitläufige Anlage der **Burg,** die durch Mauern mit der Stadt verbunden ist, krönt den Berg über der Stadt. Einige Reste von Wohngebäuden, Kapelle und Palas sind erhalten. Seit der Mitte des 16. Jhs. war die Burg nicht mehr bewohnt, diente aber bis ins 18. Jh. als Festung. Die **Pfarrkirche St. Philipp und Jakob** (urkundl. 1236) wurde um 1700 zur barocken Pfarrkirche ausgebaut. Schön ist der Turm, von Matthias Gerl 1756 erbaut. Im Inneren ist folgendes zu erwähnen: Gotischer Chor mit barockem Hochaltar, ein Schmerzensmann von 1775, ein 12eckiger Taufstein aus rotem Marmor (um 1500) und Wappengrabsteine (1713, 1758). Der **ehem. Karner** ist ein romanischer Rundbau aus dem 13. Jh. Von der zugehörigen romanischen alten Pfarrkirche sind nur noch wenige Reste (Kapelle) im Pfarrgarten erhalten. Die **Rochus-Kapelle** auf dem Friedhof entstand 1679, die **Kreuz-Kapelle** 1679, die **Johannes-Nepomuk-Kapelle** 1734. Die **Kapelle am Fischertor** (1780) hat ein besonders schönes Schmiedeeisengitter. Von der **ehem. Synagoge** (Wiener Str. 9) haben sich einige Reste aus der Gotik erhalten. Neben dem ehem. Karner steht die **Lichtsäule,** eine gotische Totenleuchte aus dem 14. Jh., an der Straße nach Ungarn ein reichverziertes **Kreuz** aus dem 15. Jh. Die **Mariensäule** am Marktplatz (1749) ist eine der reizvollsten des Landes. In der Stadt findet man noch viele **alte Häuser** aus Gotik, Renaissance und Barock. Sehenswert ist auch das **Heimatmuseum** im Wiener Tor. Mit einer kleinen Wanderung an der Donau entlang kann man den Besuch der **Ruine Röthelstein** verbinden. Im Dezember 1985 verhinderte eine Bürgerinitiative durch Besetzung der **Stopfenreuther Au** mit Erfolg den Bau eines Donaukraftwerkes bei Hainburg. Die Auenlandschaft wird in den geplanten Nationalpark Donau-March-Auen einbezogen.

HARDEGG an der Thaya E 1

Höhe: 308 m ü. d. M. — Einwohner: 1904. — Postleitzahl: A-2082. — Telefonvorwahl: 0 29 49. — Auskunft: Stadtgemeinde Hardegg, Tel.: 4 50.

Wohlbekannt durch seine reizende Lage im Tal der Thaya ist Hardegg ein wahres Urlaubsparadies. Inmitten ausgedehnter Nadelwälder ragt über der Stadt die mächtige Ritterburg mit vier Türmen auf hohem Felsrücken empor.

Geschichte: 1041 errichteten die Babenberger die Thaya als Grenze. In den Folgejahren entstanden zahlreiche Grenzburgen. Unter ihnen auch Hardegg, das bis heute Grenzstadt blieb, jedoch gibt es keinen Übergang mehr. Auf der Burg herrschten einige bedeutende Geschlechter: 1495 erwarben sie die Prüschenks (Vertraute der Habsburger), 1730 kam die Burg an die Kärntener Khevenhüller. 1755 stürzte ein Teil der Burg bei einem Erdbeben ein, und nach einem Stadtbrand benutzten die Hardegger die Burg als Steinbruch. Seit 1875 begannen die Wiederaufbauarbeiten und die Errichtung der Grablege der Fürsten von Khevenhüller-Metsch.

Die **Burg Hardegg** (urkundl. 1140 ein Otto von Hardeck) ist ein sehr umfangreicher, auf einem mächtigen Felsrücken gelegener Bau mit vier stattlichen Türmen und zwei Wohngebäuden. Der Kern der „neuen" Anlage ist die Kapelle mit der Fürstengruft. Sehenswert ist die Sammlung von Waffen und Rüstungen und ein Heimatmuseum sowie das Kaiser-Max-von-Mexiko-Museum. Die heutige Burg besteht aus einem Teil Ruinen und einem erneuerten Teil. Ausgrabungen der ersten Wehranlagen des 11. und 12. Jhs.! Besichtigung: April – Oktober täglich außer Montag 9 – 12 und 13 – 17 Uhr. Die **Stadtpfarrkirche St. Veith** ist eine romanische Saalkirche des 12. Jh. Später wurde sie erweitert und gotisiert und 1754 barockisiert. Interessant sind die mit einem alten Gitter versehene Sakramentsnische, ein Weltgerichtsbild (Fresken 14. Jh.), die frühklassizistische Kanzel (um 1773) und ein großer figürlicher Grabstein für Ferdinand (?) von Hardegg (1591). Der **Karner** ist ein turmartiger Rundbau aus dem 12. Jh. mit Erkerapsis. Veränderungen im 14. und 15. Jh.

Die ca. 5 km südöstlich bei Merkersdorf gelegene **Burgruine Kaja** war einst eine der mächtigsten der Thaya-Burgen. Die gewaltige Anlage wird seit 1969 von einem Verein gesichert und z. T. wiederaufgebaut. Zu besichtigen sind schon wieder der Rittersaal und die Burgkapelle.

Schloß Riegersburg

Das ca. 8 km südöstlich bei Niederfladnitz gelegene **Jagdschloß Karlslust** ist wegen seiner einsamen malerischen Lage sehenswert. Es ist nicht zu besichtigen und muß erwandert werden (2 km Forststraße). Ca. 9 km westlich von Hardegg liegt das prächtige **Schloß Riegersburg**. Es entstand als Wasserschloß um 1550. 1730 erwarb es Sigmund Friedrich Graf Khevenhüller und ließ es durch den Hildebrandtschüler Franz Anton Pilgram umbauen. Die herrliche Hauptfassade wurde 1733 abgeschlossen. Im 19. Jh. wurde das Schloß gründlich restauriert. Heute ist in einigen Sälen ein Schloßmuseum eingerichtet (Öffnungszeiten: täglich außer Montag, April – Oktober, 9 – 12 und 13 – 17 Uhr).

HAUSLEITEN F 3

Höhe: 208 m ü. d. M. – Einwohner: 2500. – Postleitzahl: A-3464. – Telefonvorwahl: 0 22 65. – Auskunft: Gemeindeamt Hausleiten, Tel.: 2 67.

Der freundliche Ort, auf einer Hochterrasse am Wagram gelegen, bietet erholsame Wanderwege und einiges für den Kunstfreund.

Geschichte: 1171 wird der Ort als „Huslyten" urkundlich erwähnt. Die Siedlung ist jedoch älter und die St.-Agatha-Kirche soll ins 9. Jh. zurückreichen. Bis 1804 gehörte das Dorf dem Bistum Passau. 1832 wurde Hausleiten zum Markt erhoben und ist seit 1971 Großgemeinde mit den Orten Hausleiten, Goldgeben, Seitzersdorf-Wolfpassing, Pettendorf, Gaisruck, Perzendorf, Zaina, Schmida und Zissersdorf.

Die **Pfarrkirche St. Agatha** steht auf einer gemauerten Terrasse weithin sichtbar. Es ist eine dreischiffige gotische Basilika (13. Jh.). Der Chor wurde 1779 umgebaut. Sehenswertes Deckenfresko von J. M. Schmidt (1785). Weiterhin bemerkenswert sind der klassizistische Hochaltar mit Bild von J. M. Schmidt, Barockkanzel (1764) von Gotthard Schmidt, ein spätgotisches Taufbecken und Kreuzwegbilder der Schule Kremser-Schmidt. In der prächtigen Aloysiuskapelle Decken- und Wandgemälde von J. Paul Gruber (um 1770).

Die **Mühle in Goldgeben** ist ein stattlicher Giebelbau von Cesare Pizoll (1599), verändert im 18. Jh.

HEIDENREICHSTEIN C 1

Höhe: 560 m ü. d. M. – Einwohner: 5400. – Postleitzahl: A-3860. – Telefonvorwahl: 0 28 62. – Auskunft: Stadt Heidenreichstein, Tel.: 23 36, 23 37.

Die romantische Kleinstadt Heidenreichstein liegt inmitten von großen Wäldern und eingefaßt von idyllischen Teichen. Verkehrstechnisch liegt es gut erschlossen.

Geschichte: 1205 wird Heidenreichstein erstmalig urkundlich genannt. 1170/80 entstand bereits die Burg, eine Gründung der Burggrafen von Gars/Eggenburg. Der Name Heidenreichstein stammt von einem dieser Burggrafen Heidenreich. 1205 wird schon ein Otto von Heidenreichstein genannt. 1369 wird Heidenreichstein urkundlich als Markt mit Wappen und Siegel der Bürger erwähnt. In den folgenden Jahrhunderten hatte der Markt oft unter Krieg, Brand und Verwüstung zu leiden. Da Heidenreichstein an der alten Straße nach Prag lag, entwickelte sich rasch reicher Handel und vor allem schon 1624 die Flachs- und Baumwollweberei. Um 1880 begann dann die große Umstrukturierung des Marktes, es entstan-

Burg Heidenreichstein

den die ersten Betriebe (vor allem Textil- und Metallverarbeitung). Infolge seiner großen wirtschaftlichen und geschichtlichen Bedeutung wurde Heidenreichstein 1932 zur Stadt erhoben, das alte Marktwappen (hl. Maragaretha) wurde zum Stadtwappen.

Wahrzeichen von Heidenreichstein ist die großartigste **Wasserburg** Österreichs. Sie stammt hauptsächlich aus dem 15. Jh. Obwohl der Markt des öfteren geplündert und eingeäschert wurde, so zum Beispiel in den Jahren des 30jährigen Krieges, wurde die Burg nie vom Feind eingenommen und erobert. Betritt man den Innenhof der Burg über die beiden Zugbrücken, fühlt man sich in das Mittelalter zurückversetzt. Der älteste Teil der Anlage ist der Bergfried aus dem 13. Jh. (zu bemerken ist der erhaltene gotische Dachstuhl). Das ehemals romanische Torgebäude mit Zugbrücke und Renaissancetor, Wehrgang, Verließ, schöne Holzdecken und die Kapelle mit gotischer Rankenmalerei sind erhalten. Die **Stadtpfarrkirche St. Margaretha** ist besonders durch ihren bedeutenden spätgotischen Chor (15. Jh.) sehenswert. Das ehem. romanische Langhaus wurde 1628 – 31 barockisiert. Gotische Portale und barocker Ostturm. Bemerkenswert sind ein spätgot. Opferstock, drei Barockaltäre, Hochaltarbild von Julius Schnorr von Carlosfeld (1846). Am Stadtplatz steht der **Pranger** (1688) mit dem Ro-

land und der „Bierglocke", mit der die Wirte früher an die Sperrstunde erinnert wurden. Sie läutet aber heute auch noch wie vor 100 Jahren um 21 Uhr. Die **Dreifaltigkeitssäule** stammt aus dem 18. Jh.
Sehenswert ist das Heimatmuseum mit laufenden Ausstellungen. Öffnungszeiten: Juni — September, Sonn- u. Feiertage von 9 — 11 u. 14 — 16 Uhr. Voranmeldung für Gruppen am Stadtamt möglich.
Ausflugsziele sind: Wald- und Moorlehrpfade, die umliegenden Teiche, der „Hängende Stein", die „Franz-Geier-Gedenkstätte".
Burgbesichtigung: tägl. außer Montag um 9, 10, 11, 14, 15, 16 Uhr.
Eine der Fremdenverkehrsattraktionen ist der **Theatersommer** (Mitte August).
Im nahen **Seyfrieds** (südl.) sollte man sich die alte **Pfarrkirche** St. Johannes d. T. ansehen (schönes Kreuzrippengewölbe).
11 km östlich liegt **Kleinzwettl** mit einer der ältesten Wehrkirchen des Landes. Mitte des 13. Jhs. wurde der wehrhafte Bau mit Wall, Graben, Ringmauer und festem Tor errichtet. Um 1409 wurde die romanische Kirche gotisch umgebaut. Der Raumeindruck ist überaus altertümlich.
Ein weiteres Ziel ist die **Filialkirche St. Andreas** in **Weißenbach,** das ca. 10 km östlich liegt. Hier findet man einen bemerkenswerten Flügelaltar (um 1600).

HEILIGENKREUZ F 5

Höhe: 306 m ü. d. M. — Einwohner: 1200. — Postleitzahl: A-2532. — Telefonvorwahl: 0 22 58. — Auskunft: Gemeindeamt Heiligenkreuz, Tel.: 2 86.

Heiligenkreuz ist ein ruhiger Fremdenverkehrsort mit dem berühmten Zisterzienserkloster als Mittelpunkt. Der an der Barockstraße gelegene Ort ist seit der Babenbergerzeit ein lebendiges Zentrum der Kultur im Raum des südlichen Wienerwaldes.
Das **Zisterzienserstift** ist das älteste Zisterzienserkloster Niederösterreichs. Das Stift wurde von Markgraf Leopold III. dem Heiligen gegründet, und er berief 1133 burgundische Mönche aus Morimund. Diese begannen bereits 1135 mit dem Bau der **dreischiffigen Pfeilerbasilika.** Im Hauptschiff sieht man die frühesten Kreuzrippengewölbe Österreichs. Vom romanischen Kirchenraum, seiner Nüchternheit und Strenge wegen bekannt, gelangen wir in den lichtdurchfluteten, 1295 vollendeten **gotischen Hallenchor,** der Vorbild wurde für viele gotische Hallenbauten im süddeutschen Raum. Eine besondere Kostbarkeit sind die **Glasmalereien** in Grisailletechnik, die in die hohen Maßwerkfenster eingefügt sind. Das prächtige Chorgestühl der Kirche stammt von Matthäus Rueff und ist mit Reliefs und Figuren von Giovanni Giuliani (1707) geschmückt. Auf der mächtigen Orgel im nördl. Querschiff spielten schon Franz Schubert und Anton Bruckner. An der Südseite der Kirche schließt sich der **Kreuzgang** an, der 1215 — 1240 im romanisch-gotischen Übergangsstil erbaut wurde. Seine 300 Säulen sind aus rotem Marmor. Im gotischen **Brunnenhaus** strahlen aus den Maßwerkfenstern hinter den Bleibrunnen farbige Bildnisse der Baben-

Heiligenkreuz

berger (um 1290). Dreizehn Babenberger sind im **Kapitelsaal** bestattet. In der Mitte unter einer figuralen Grabplatte ruht der letzte Babenberger, der 1246 im Kampf gegen die Madjaren gefallene Herzog Friedrich II. Die Totenkapelle stattete Giuliani pompös aus. Sie birgt ein Bleikruzifix seines Schülers Raphael Donner. Die figurenreiche **Dreifaltigkeitssäule** und den **Josephsbrunnen** im schlichten **Arkadenhof** schuf ebenfalls Giuliani (1739). Zur gleichen Zeit wirkten im Stift die Barockmaler Michael Rottmayr und Martino Altomonte, von denen es Altarbilder besitzt. Größter Schatz des Stifts ist aber die große, kostbar gefaßte Kreuzreliquie, die Leopold V. von seiner Kreuzfahrt 1188 mitbrachte. Es ist die größte nördlich der Alpen. Die Kreuzwegstationen vor dem Kloster wurden von Giuliani und seinen Schülern errichtet. Viel besucht wird auf dem Friedhof (außerhalb des Ortes) das Grab Mary Vetseras, der Todesgefährtin des Kronprinzen Rudolf.

HERZOGENBURG E 4

Höhe: 227 m ü. d. M. — Einwohner: 7300 — Postleitzahl: A-3130. — Telefonvorwahl: 0 27 82. — Auskunft: Stadtgemeinde Herzogenburg, Tel.: 33 15.

Herzogenburg, im Herzen Niederösterreichs an der kleinen Barockstraße gelegen, bietet dem Erholungsuchenden und besonders dem kulturell interessierten Besucher ein reichhaltiges Programm.

Geschichte: Herzogenburg wurde 764 durch den bayerischen Herzog Tassilo III. gegründet, die Pfarre 1041. Das Stift und die Siedlung wurden 1348 von der Pest heimgesucht und auch in den folgenden Jahrhunderten durch Kriege und

Brände verwüstet. Der untere Markt erhielt 1506, der obere 1548 den Wappenbrief. 1714 wurde das Stift von Grund auf neu erbaut. Die Erhebung des Ortes zur Stadt erfolgte 1927. Zwischen 1938 und 1971 vereinigte sich die Stadt mit den umliegenden Gemeinden.

Das **Augustinerchorherrenstift** (1112) gehört zu den ganz großen Stationen an der Donauländischen Barockstraße. Der gewaltige Neubau des Stiftes ist ein Entwurf Jakob Prandtauers (1714), der die Arbeiten auch bis zu seinem Tode 1726 leitete. Joseph Munggenast übernahm die Vollendung. Die Reste des alten Stiftgebäudes mit dem wiederentdeckten Kreuzgangflügel (um 1300) und dem Refektorium mit Malereien (um 1500) bilden eine vollkommene Ergänzung zu der einheitlichen Barockanlage. Der imponierende Festsaal Fischer von Erlachs ist in leuchtenden Farben ausgemalt. Nicht weniger sehenswert sind der Bildersaal, der Prälatengang und die Bibliothek. Im Stiftsgebäude ist eine Kunstsammlung mit bedeutenden Schätzen untergebracht. Höhepunkt sind die vier Tafelbilder von Jörg Breu (1501) aus der Kartause Aggsbach, Glasgemälde des 14. und 15. Jhs. ergänzen die Ausstellungen. Die Schatzkammer zeigt liturgische Geräte und ein Münzkabinett.

Die **Stiftskirche St. Georg und Stephan** wurde ab 1743 nach Sprengung der alten Kirche von Franz Munggenast erbaut. Die Arbeiten zogen sich lange hin, und erst 1785 konnte die Kirche geweiht werden. Auffällig ist der Turm, der als Bekrönung einen Herzogshut trägt, das Wahrzeichen der Stadt. Im Inneren spielt die Malerei besonders durch die Werke von Bartolomeo Altomonte eine große Rolle. Die Deckenfresken in den Gewölbefeldern schuf 1753–55 Daniel Gran. Er schuf auch das Bild des Hochaltars. Die Orgel stammt von J. Henke, 1752.

Das reizvolle **Barockschloß Heiligenkreuz-Gutenbrunn** liegt ca. 10 km östlich von Herzogenburg (Niederösterreichisches Barockmuseum). Das Schloß bietet einen reichen Stiegenaufgang, eine Schloßkapelle mit Kuppelfresko von Paul Troger und im Museum viele Bilder von bedeutenden Malern der Barockzeit (Maulpertsch, Daniel Gran, Kremser-Schmidt). Außerdem werden Zeichnungen, Graphiken und Barockentwürfe gezeigt, laufend Sonderausstellungen. Geöffnet von April–Oktober tägl. außer Montag von 9–17 Uhr. Die Wallfahrtskirche „Maria, Heil der Kranken" wurde 1755–58 erbaut. Sehenswert sind der Hochaltar (1757), Altarbilder und Fresken von F. A. Maulpertsch und das Rokoko-Orgelgehäuse.

Ca. 5 km nördl. Herzogenburg liegt **St. Andrä a. d. Traisen** mit seinem ehem. **Chorherrenstift** (heute Pflegeheim). Die prächtige barocke **Kirche** entstand 1725–29 (Stiftsgründung 1147, Auflösung 1787). Im Inneren reicher Freskenschmuck von Paul Troger. Der Marienaltar mit Statue entstand um 1360. Das Gemälde am Hochaltar ist ebenfalls von Paul Troger.

8 km nördlich von Herzogenburg liegt an der Donau die alte Römerstadt **Traismauer** (Auskunft: Stadtgemeinde A-3133 Traismauer, Tel.: [0 27 83] 3 13). Noch heute ist die Ausdehnung des Kastells Augustianis in der Umfassung des Ortes erkennbar. Große Teile der Stadtbefestigung aus dem 16. Jh. sind noch erhalten. Sie liegen zwischen dem

Wiener Tor und dem **Hungerturm**, in dem das sehenswerte **Heimatmuseum** (prähistorische und römische Funde!) untergebracht ist. Das **ehem. Schloß** ist heute ein Mietshaus. Sehenswert ist der spätromanische Bau der **Pfarrkirche St. Ruppert**, der im 14./15. Jh. gotisch umgebaut wurde. Schöne Innenausstattung des 18. Jhs. An einer Hausecke steht der **Pranger** von 1584. Sehenswert sind außerdem noch **Bäckerkreuz** (1674), Floriani-Säule (1779) und Johann-Nepomuk-Statue (Anf. 18. Jh.).

HORN E 2

Höhe: 309 m ü. d. M. — Einwohner: 8000. — Postleitzahl: A-3580. — Telefonvorwahl: 0 29 82. — Auskunft: Stadtamt Horn, Rathausplatz 4, Tel. 26 56.

Die alte malerische Stadt ist heute das wirtschaftliche Zentrum des Waldviertels. Es bietet viele Freizeiteinrichtungen, eine Menge Kunst- und Kulturgeschichtliches und ist idealer Ausgangspunkt für Ausflüge in die Umgebung des Wald- und Weinviertels.

Geschichte: Erste Erwähnung im 11. Jh. als „Hornarun". 1160 war es bereits eine städtische Siedlung. Zur Zeit der Reformation war Horn Zentrum des niederösterreichisch ständischen Protestantismus (1608 „Horner Bund", 166 protestantische Adelige fordern Religionsfreiheit, die ihnen 1609 vorerst auch vom Kaiser gewährt wurde). Horn ist seit dem 15. Jh. Schulstadt, 1657 wurde ein Gymnasium gegründet.

Die **Kirche St. Georg** wurde 1594 als protestantische Kirche inmitten des Marktplatzes erbaut. In ihr leben noch gotische Formen fort. Der für Horn charakteristische Turm ist ein Werk des Historismus (1880). Die bemerkenswerte Kanzel stammt von 1772, die Altäre sind 18. Jh. Die **Pfarrkirche St. Stephan** (Pfarre 1046) ist die älteste Kirche. Im kurzrippengewölbten Chor schöne Maßwerkfenster (14. Jh.). Bemerkenswert ist die spätgotische Steinkanzel mit Maßwerkbrüstung (um 1500). Die **Piaristenkirche St. Anton von Padua** ist ein Barockbau (1658 – 1675) mit schönem Hochaltarbild des Kremser-Schmidt. Das ehem. Kloster und Gymnasium steht heute leer. Das **Schloß**, ein ehem. Renaissancebau (1539 Hans v. Puchheim), wurde im 18. Jh. barock umgebaut. An der Nordseite liegt das ehem. Landgericht mit schönem Laubengang (1591). Aus den vielen schönen **alten Häusern** ragt das **Sgraffito-Haus** am Kirchenplatz 3 hervor. Die prachtvolle Fassade wurde 1583 geschaffen. Sehr sehenswert ist das **Höbarth-Museum** im ehem. Bürgerspital (mit Kapelle 1395). Es bietet vor allem hervorragende Objekte aus der Vor- und Frühgeschichte, aber auch volkskundliche, naturwissenschaftliche und kunsthistorische Sammlungen. Daneben das **Mader-Museum,** ein hervorragendes Agrarmuseum mit über 700 landwirtschaftlichen Geräten und Maschinen und bäuerlichem Hausrat. Öffnung: Palmsonntag — 2. November, Di – So 9 – 12 und 14 – 17 Uhr.

15 km nordwestlich liegt bei Messern die österreichische Wappenburg **Wildberg.** Mit hoher Wahrscheinlichkeit übernahmen einst die Babenberger im 13. Jh. das Wappen der Grafen Hohenburg-Wildburg, man

findet es (allerdings in den Farben Rot-Gelb-Rot) über einer Tür. Dieses Bindenschild taucht dann 1230 in einem Siegel Österreichs auf und ist heute rot-weiß-rot das österreichische Staatswappen.

KIRCHBERG am Wechsel F 7

Höhe: 570–1592 m ü. d. M. — Einwohner: 2400. — Postleitzahl: A-2880. — Telefonvorwahl: 0 26 41. — Auskunft: Fremdenverkehrsverein Kirchberg am Wechsel, Markt 63, Tel. 24 60.

Die Fremdenverkehrsgemeinde Kirchberg liegt in idealer Höhenlage am Fuße des Hochwechsels im verkehrsarmen Feistritztal.

Geschichte: Eine spätere Besiedlung des Gemeindegebietes erfolgte um die Jahrtausendwende. Urkundlich wurde Kirchberg erstmals 1232 erwähnt. 1529 wurden Kloster, Kirche, Markt in Schutt und Asche gelegt, als die Türken in Österreich einfielen. 1656 erhielt Kirchberg durch Ferdinand III. die alten Rechte bestätigt und ein Marktwappen.

Die **Pfarrkirche St. Jakob d. Ä.** ist die ehemalige Chorfrauenstiftskirche. Die große Barockkirche wurde 1754/55 erbaut. Schöne Einrichtung aus der Erbauungszeit. Das **Stift** liegt malerisch auf einer Anhöhe (Neubau 1654/57) und wurde 1782 aufgehoben. Die **Mariensäule** stammt von 1713.

Größte Sehenswürdigkeit ist aber die außerhalb gelegene **St.-Wolfgangs-Kirche** auf einem Hügel über dem Markt. Die aus der ersten Hälfte des 15. Jhs. stammende Kirche stürzte im 18. Jh. ein. Sie wurde aber wiederaufgebaut und mit den verschiedensten wertvollen Kunstwerken aus verschiedenen Epochen geschmückt. Unter anderem gibt es ein schönes Ölbild vom Kremser-Schmidt (1794), ein großes Ölbild von J. Spillenberger (1672), ein Relief „hl. Wolfgang" vom Meister Michael (15. Jh.) und ein Christophorusfresko von Jörg Prunner an der Ostwand (15. Jh.)

In Kirchberg finden jährlich die von zahlreichen Philosophen aus aller Welt besuchten internationalen Ludwig-Wittgenstein-Symposien statt. In den gotischen Gewölben des ehemaligen Klosters sollten Sie auch die einzige öffentlich zugängige **Wittgenstein-Dokumentation** besuchen.

Die **Hermannshöhle** ist die größte Tropfsteinhöhle Niederösterreichs. Geöffnet ist die Höhle von Ende März bis Anfang November (in der Karwoche und vom 1. 5. bis 30. 9. täglich, im April und Oktober an Sams-, Sonn- und Feiertagen; Führungsdauer 45–75 Min.).

KIRCHBERG an der Pielach D 5

Höhe: 372 m ü. d. M. — Einwohner: 2918. — Postleitzahl: A-3204. — Telefonvorwahl: 0 27 22. — Auskunft: Marktgemeinde Kirchberg an der Pielach, Schloßstraße 1, Tel. 73 09 oder 75 33.

Kirchberg ist der Mittelpunkt des lieblichen Pielachtales

Herrlich gelegen ist die **Pfarrkirche St. Martin.** Die spätgotische Pfeilerbasilika hat ein netzrippengewölbtes Langhaus und einen frühgotischen kreuzrippengewölbten Chor. Spätgotische Tore und neugotische Einrichtung. Das **Schloß** (16./17. Jh.) hat ein schönes Renaissanceportal, einen Innenhof mit offenem Arkadengang, einen runden Erkerturm, Ringmauern und Graben (teilw. erhalten). Die barocke **Nepomuk-Statue** entstand im 18. Jh. Die **Andreaskirche** ist ein einschiffiger spätgotischer Langhausbau mit Strebepfeilern, 5/8 Chor, Netzrippengewölbe.

PIELACHTAL D 4—5

Auskunft: Fremdenverkehrsverband Pielachtal, Geschäftsstelle, A-3204 Kirchberg/Pielach, Schloßstraße 1, Tel. 0 27 22/73 09.

Das Pielachtal — auch liebliches Tal genannt — erstreckt sich im Voralpenland von den Ausläufern des Ötschermassivs in nördlicher Richtung bis zur Donaumündung bei Melk. Erschlossen ist die Region durch die Mariazellerbahn, eine der schönsten Alpenbahnen Österreichs, sowie über die B 39 (Abfahrt Westautobahn St. Pölten). Eine echte Erholungslandschaft, keine Industrie, Brauchtum, Sehenswürdigkeiten und Fremdenverkehrseinrichtungen sind Merkmale dieses natürlichen Tales. Mittelpunktsort ist Kirchberg/Pielach. Der Pielachtaler Rundwanderweg, 107 km, ist gültig für die IVV-Wertung.

Schwarzenbach a. d. Pielach: Sehenswert ist die **Pfarrkirche St. Katharina.** Der Chor stammt aus dem 14. Jh., das spätgotische Tor entstand um 1500.

Loich: Die ursprünglich spätgotische Kirche wurde im 18. Jh. barokkisiert.

Frankenfels: Pfarrkirche St. Margaretha mit barockem Langhaus und gotischem Chor. Die **Ruine Weißenburg** (um 1270 erbaut) war einst eine der größten Burgen des Landes. Von der seit 1656 verfallenen Burg sind noch stattliche Reste zu besichtigen. Die **Nixhöhle** ist eine der größten Höhlen des Landes. Warme Kleidung und feste Schuhe! Führung an Sonn- und Feiertagen ab 13 Uhr.

Rabenstein: Schönes Ortsbild. **Pfarrkirche St. Lorenz,** spätgotische Staffelkirche mit schönen Maßwerkfenstern. Die **Ruine Rabenstein** ist ein beliebtes Ausflugsziel über dem Ort. Von der Burg des Jahres 1136 haben sich noch stattliche Reste erhalten. Ein Votivbild in der Kirche zeigt noch den ursprünglichen Zustand. — **Heimatmuseum.**

Obergrafendorf: Die **Pfarrkirche St. Josef** ist eine spätromanische-gotisierende Pfeilerbasilika. Hochaltarbild von Daniel Gran (1756) und viele Barockstatuen. Spätgotischer Taufstein, außen Römerstein. **Schloß Fridau** wurde 1750/70 erbaut. Es enthält im prächtigen elliptischen Mittelsaal Fresken von Daniel Gran (1755).

KIRCHSCHLAG in der Buckligen Welt G 7

Höhe: 414—800 m ü. d. M. — Einwohner: 3000. — Postleitzahl: A-2860. — Tel.-Vorw.: 0 26 46. — Auskunft: Gemeindeamt Kirchschlag i. d. B. W., Tel.: 22 13.

Der schmucke malerische Ort ist Mittelpunkt der „Buckligen Welt" und liegt inmitten von Wiesen und Wäldern im anmutigen Zöberntal.
Geschichte: Die Burg Kirchschlag war einst eine bedeutende Wehranlage. Burgherren wie Albero von Kuenring im 13. Jh. und Hans Chrsitoph III. von Puchheim im 17. Jh. hatten an der Geschichte Mitteleuropas wesentlichen Anteil. Zum Markt erhoben wurde der Ort 1489.
Die **Pfarrkirche St. Johannes d. T.** ist eine sehenswerte spätgotische Wehrkirche (1480 – 1499). Das vierschiffige Langhaus hat ein Netzrippengewölbe, der gleich breite Chor Sternrippengewölbe mit Wappenschlußsteinen. Spätgotische Tore und reiche Maßwerkfenster, barocker Hochaltar, Rokokokanzel und zwölfeckiger gotischer Taufstein. Der **Karner** (Michaelskirche, ältestes Bauwerk Kirchschlags) ist ein Rechteckbau mit spätgotischem Chor. Das Eingangstor schmückt ein romanisches Relief mit Löwe und Hirsch. Karner und Kirche sind von einer Wehrmauer umgeben. Der **Kreuzweg** stammt aus dem 18. Jh. und ist mit barocken bäuerlichen Holzreliefs geschmückt. Die **Burgruine** (erbaut 12. Jh.) wurde nach 1246 von König Bela von Ungarn, 1483 durch Matthias Corvinus besetzt, im 16. Jh. durch die Puchheimer umgebaut. Die auf dem Hutkogel gelegene Ruine (Verfall seit Ende d. 18. Jhs.) ist mit Vorwerken, Türmen und Mauern umgeben. Es haben sich noch beachtliche Reste der stattlichen Anlage erhalten.
Sehenswert sind außerdem noch das **Heimatmuseum im Hofhaus (Büstenwand mit Habsburgerfiguren)** und das neue **Passionsspielhaus** in Parabelform mit 1200 Sitzplätzen.

KLOSTERNEUBURG FG 4

Höhe: 192 m ü. d. M. — Einwohner: 27 300. — Postleitzahl: A-3400. — Telefonvorwahl: 0 22 43. — Auskunft: Fremdenverkehrsverband Klosterneuburg, Niedermarkt 19, Tel.: 20 38; Stadtgemeinde Klosterneuburg, Rathausplatz 1, Tel.: 67 95, DW 2 29.

Vor den Toren Wiens liegt eingebettet in die sonnige Hügellandschaft des Wienerwaldes die romantische Weinstadt Klosterneuburg mit ihrem Stift.
Geschichte: Die Geschichte Klosterneuburgs reicht bis in die Urnenfelderzeit (ca. 1200 – 700 v. Chr.) der Illyrer zurück. Um 400 besiedelten die Kelten das Land und ab 15 v. Chr. regierten hier die Römer bis ins 4. Jh. Die Markomannen eroberten 395 das Wiener Becken, diesen folgten Hunnen und Awaren. Unter den Babenbergern wurde Klosterneuburg Residenz und damit zum politischen Zentrum der Mark Österreich. Leopold III. (1095 – 1136) war der Mitbegründer des Stifts und ist heute Landespatron. Die politische Macht ging dann nach Wien, aber das Stift blieb Zentrum von Kunst und Kultur. Der Habsburger Kaiser Karl VI. veranlaßte 1730, das Stift nach dem Vorbild des spanischen Escorial zu erweitern. Da der ursprünglich geplante Monumentalbau aber nur zu einem Viertel ausgeführt wurde, besteht das Stift heute aus zwei Teilen: dem barocken Stiftsbau und dem alten Kloster, das im 12. – 14. Jh. erbaut und in Gotik und Renaissance verändert wurde.
Älteste Kirche von Klosterneuburg ist die **Pfarrkirche St. Martin** (Pfarre vor 1050). Seit 1135 gehörte sie zum Chorherrenstift. Das im Kern romanische Langhaus wurde 1723 – 27 barockisiert. Der hohe

gotische Chor entstand 1419. Bemerkenswerte Barockausstattung (Hochaltar, Seitenaltäre, Kanzel, 16 Holzstatuen von Matthäus Donner, prunkvolles Orgelgehäuse). In der Stadt haben sich einige schöne **Renaissancehäuser** (u. a. Rathaus) erhalten. An Kapellen sind zu erwähnen die **Bäckerkreuz-Kapelle** (1650) und die **Urlaubs-Kapelle** (1689) in der Kierlinger Straße, beim Ölberg die **Abschiedskapelle** und die **Kreuzkapelle** (um 1700). Zahlreiche Figuren und Säulen schmücken die Stadt. Hier sind zu bemerken: die **Dreifaltigkeitssäule** am Stadtplatz (1714), die **Marktsäule** am Kardinal-Piffl-Platz (1690), beim Stiftaufgang die gotische **Gerichtssäule** (15. Jh.) und ein **Johann Nepomuk** (18. Jh.), die **Pestsäule** in der Wiener Straße (1645) und die **Sebastianssäule** in der Kierlingerstraße (1656). Das **Weinmuseum** ist ein im Kern romanischer Bau des 12. Jh. mit Rundbogenfenstern im Erdgeschoß. Im 15. Jh. Umbau zu einer zweistöckigen Halle.

Das weithin bekannte und berühmte **Augustiner-Chorherrenstift** wurde vor 1108 von den Babenbergern gegründet und auf den Mauern des römischen Kastells erbaut, dessen Grundmauern ausgegraben wurden. Die romanische **Stifts- und Pfarrkirche Unsere Liebe Frau** entstand ab 1114 und wurde 1136 geweiht. Die beiden schönen schlanken Türme wurden 1887/92 neugotisch gestaltet. Die ursprünglichen Statuen des zu gleicher Zeit veränderten Portals sind jetzt im Lapidarium und in Nischen des Kaiserhofes im Stift aufgestellt (Muttergottes 1405, hl. Leopold und Herrscherstatuen des Untergeschosses

Augustiner-Chorherrenstift Klosterneuburg

des Südturmes 15. Jh.). Das Innere der Kirche wurde im 17. Jh. barokkisiert. Zu beachten sind die Brüstung des Orgelchors mit Fresken von Georg Greiner (17. Jh.), die Deckenfresken im Chor von Michael Rottmayr, Architekturmalerei von Gaetano Fanti. Der prächtige Hochaltar entstand 1728 nach Entwürfen von Matthias Steinl, das Altarbild schuf Johann Georg Schmidt. Die Altäre der Nebenapsiden aus Marmor von den Gebrüdern Spatz (1690 – 98). Sehr sehenswert ist das meisterhaft geschnitzte Chorgestühl und das Hoforatorium l. darüber, entworfen von Matthias Steinl, geschnitzt von Servatius Hoffmann und Franz Caspar (1723). Die Kanzel ist aus mehrfarbigem Marmor (Spatz, 17. Jh.). Die große Festorgel entstand 1699 – 1702 unter Verwendung des Pfeifenwerks zweier mittelalterlicher Orgeln durch Joh. G. Freundt.
Meisterwerke der gotischen Baukunst sind der **Kreuzgang** (13. und 14. Jh.), der besonders schön ausgeschmückte ehemalige **Fürstentrakt** und die große Lichtsäule (1381). Eine herausragende Sehenswürdigkeit befindet sich im ehemaligen Kapitelsaal, der heutigen **Leopoldskapelle.** Hier ist der weltberühmte „**Verduner Altar**", eine Emailarbeit des Nikolaus von Verdun von 1181 ausgestellt. Die Rückseite des Altars ist mit den ältesten datierbaren **Tafelbildern** Österreichs geschmückt (1331). Sehr wertvoll sind die aus dem Kreuzgang stammenden **Glasgemälde** des 14. und 15. Jhs. Der große romanische **Bronzeleuchter** (4,23 m) entstand schon im 12. Jh. Im ehemaligen Refektorium, dem jetzigen Lapidarium der Stiftssammlung befinden sich die „**Klosterneuburger Muttergottes**", eines der wichtigen Denkmäler frühgotischer Plastik. Heiligen- und Herrscherfiguren des Südturms, romanische Bauplastik der ehemaligen romanischen Stiftskirche.
Die barocken Stiftsgebäude, der sogenannte **Residenztrakt,** sind eine großartige Anlage, obwohl der Traum Karls VI. nicht verwirklicht wurde. Es reicht aber aus, um eine Vorstellung von der geplanten Gesamtanlage zu bekommen: Der ovale Mittelrisalit, der seine üppig gegliederte Schauseite nach Wien richtet und dessen Kuppel von einer riesigen Kaiserkrone gekrönt ist, eine Flucht von Kaiserzimmern, die im Kaisersaal abbricht, der stuckgeschmückte Kaisergang und schließlich die stattliche Kaisertreppe im Rohbau.
Sehenswert sind auch **Stiftsmuseum** und **Schatzkammer.** Die größte **Stiftsbibliothek** Österreichs umfaßt über 200 000 Bände.
Höhepunkt der Gastlichkeit in Klosterneuburg ist alljährlich am „Leopolditag" das mit einem Volksfest verbundene „**Faßlrutschen**" über das 1704 gebaute 4,80 m lange und 3,80 m hohe Riesenfaß, das einst der Zehentwein der Bauern für das Kloster füllte.

KORNEUBURG G 3

Höhe: 167 m. ü. d. M. — Einwohner: 8900. — Postleitzahl: A-2100. — Telefonvorwahl: 0 22 62. — Auskunft: Stadtgemeinde Korneuburg, Tel. 25 76.
Korneuburg ist eine alte, behaglich wirkende Stadt an der Donau.
Geschichte: Um 791 wurde bei St. Martin (heute Korneuburg) am rechten Donauufer die „Neue Burg" erbaut, und am linken Donauufer entstand der Brückenkopf „Nuienburg". Um 1040 ist bereits vom Landgericht Korneuburg die Rede,

und zwischen 1136 und 1171 wird es erstmalig als Stadt genannt. 1255 verlieh König Premysl Ottokar das Stadtwappen und 1298 wurden die Stadtrechte nach Loslösung von Klosterneuburg von Albrecht II. neu verliehen. Die letzte große Stadtbefestigung wurde im 15. Jh. während der Hussiteneinfälle errichtet.

Die große gotische **Stadtpfarrkirche St. Ägydius** liegt unmittelbar an der ehemaligen Stadtmauer. In Schiff und Chor schönes Kreuzrippengewölbe. Der Südturm ist neugotisch (um 1900). Bemerkenswertes aus der Erbauungszeit sind ein got. Sakramentshäuschen (1382), ein kreuztragender Christus (um 1430), Wappengrabsteine (14.–17. Jh.). Rokokokanzel (1766) von Matthias Köbl aus Tulln. 1773 wurde die bemerkenswerte **Rokokokirche der Augustiner** geweiht. Der prächtige Hochaltar mit Scheinarchitektur enthält ein Gemälde von Anton Maulbertsch (um 1770). Die vier Rokokoseitenaltäre besitzen ebenfalls Gemälde von A. Maulbertsch. Ein einfacher Bau um einen quadratischen Kreuzganghof ist das 1619 erbaute und 1783 aufgehobene **Kapuzinerkloster.** Der alte **Stadtturm** ist ein mächtiger Rechteckbau von 1440/47 mit vier Eckerkern. Das neugotische **Rathaus** entstand 1894. Zu bemerken sind außerdem noch die **Dreifaltigkeitssäule** (1747) und der **Rattenfänger-Brunnen** am Hauptplatz. Auch lohnt sich ein Besuch im **Stadtmuseum.**

Südlich von Korneuburg liegt **Langenzersdorf,** wo man sich das **Hank-Museum** anschauen sollte. Besonders eindrucksvoll sind die großen Marmorstatuen im Garten des Museums (geöffnet von 15. April – 15. Nov. Sa, So und Feiertag 9 – 12 und 13.30 – 18 Uhr, Dienstag 9 – 12 Uhr).

Im nahen **Bisamberg** ist ein interessanter barocker **Kreuzweg** zur Pfarrkirche sehenswert. Der Kreuzweg wurde 1691 aus Anlaß des Sieges über die Türken errichtet (Darstellung der Häscher als Türken).

Nördlich von Korneuburg liegt Leobendorf mit der mächtigen Burg **Kreuzenstein.** 1115 war „Grizanesstein" ein Besitz der Herren von Formbach. Die Burg wurde im Jahre 1645 von den Schweden zerstört. Aus dem 19. Jh. stammt der heutige Bau. Er wurde von Graf Hans Wilczek unter Verwendung romanischer und gotischer Bauteile aus ganz Europa als eine gotische Burg erbaut. Über eine mächtige Steinbrücke kommt man durch das äußere Burgtor in den Zwinger und in den ersten und zweiten Hof. Die Nordseite beherrscht der Palast mit einer großen Rüstkammer, im Südwesten liegt die künstlerisch bedeutende Kapelle (gotischer Flügelaltar, romanisches Taufbecken).

KREMS an der Donau E 3

Höhe: 221 m ü. d. M. — Einwohner: 23 200. — Postleitzahl: A-3500. — Telefonvorwahl: 0 27 32. — Auskunft: Fremdenverkehrsstelle der Stadt Krems, Wichnerstraße, Tel. 26 76.

Die älteste Stadt Niederösterreichs liegt am Ausgang der Wachau in der Nähe der Einmündung der Krems in die Donau im innersten Winkel jener Bucht, die das Tullnerfeld an seinem westlichen Ende zwischen den Ausläufern des Waldviertler Berglandes und des Dunkelsteiner Waldes bildet. Sie liegt beherrschend am linken Donauufer

mit der ehemals selbständigen Stadt Stein an der Donau vereinigt. Durch ihre Hanglage ergeben sich viele winkelige Stiegen und Gäßchen, die sehr zum romantischen Stadtbild beitragen. Die „Musterstadt für Denkmalpflege" hat viel bestens erhaltene Bausubstanz aus dem Mittelalter. Umgeben wird die ganze Doppelstadt von Weinbergterrassen, wo der berühmte Kremser Wein wächst.

Geschichte: Krems als Zentrum des Rugierreiches wird schon in der Vita des heiligen Severin (Gründer des Klosters Mautern bei Krems, wo er 482 starb) erwähnt. In einer kaiserlichen Urkunde von 995 ist schon von einer „orientalis urbs", die „Chremisa" genannt wurde, die Rede. Die Babenberger hatten 1120 einen Herzogshof in Krems. Der Kremser Pfennig, die älteste österreichische Münze, wurde 1130–90 in der Stadt Krems mit dem ältesten Münzrecht geprägt. 1153 wurde die St.-Veiths-Kirche fertig. Mehrere Stadterweiterungen in mehren Phasen wurden nötig (1100–1200, 1200–1300 und 1300–1500), um dann 1518 ihre größte und nicht mehr veränderte Ausdehnung mit Ummauerung zu erreichen. Auf einer arabischen Weltkarte von 1150 rangiert Krems vor Wien, das der Stadt erst im 13. Jh. den Rang ablief. Noch eine zweite Konkurrenz hatte Krems in der 1305 zur Stadt erhobenen Nachbargemeinde Stein. Während Krems vom Eisenhandel lebte, war es in Stein der Salz- und Weinhandel. Doch hatten schon damals die beiden Städte einen gemeinsamen Bürgermeister, und Friedrich III. verlieh ihnen auch ein gemeinsames Wappen. Nur im 19. Jh. waren die beiden Städte für 90 Jahre getrennt. In der zweiten Hälfte des 16. Jhs. wurde die Stadt protestantisch. Das Schülertheater des 1616 von den Jesuiten gegründeten Gymnasiums wurde bald berühmt. Im Jahre 1801 starb in Krems Martin Johann Schmidt, genannt der Kremser-Schmidt. Obwohl die Stadt 1645 von den Schweden erobert wurde, durch Türken 1663 und 1683 Schäden erlitt, dann 1703 durch einen Kuruzzeneinfall geschädigt und 1741, 1805 und 1809 durch die Franzosen besetzt wurde und zum Schluß noch im Zweiten Weltkrieg Bomben fielen, blieben etwa 400 Bauwerke aus der Zeit bis ca. 1800 erhalten: Krems gilt daher heute als die schönste Stadt Niederösterreichs.

Sehenswert in der Stadt Krems:
Wahrzeichen der Stadt ist das 1480 errichtete **Steiner Tor,** das von zwei gotischen Rundtürmen flankiert wird. Der barocke Aufbau des großen Mittelturms entstand 1754. Die **Pfarrkirche St. Veith** wurde schon 1178 urkundlich erwähnt. Die alte romanische Kirche wurde Ende des 13. Jhs. gotisch umgestaltet. Nach schleppendem Neubau (1520 begonnen) war die Kirche noch Anfang des 17. Jhs. einsturzgefährdet und wurde 1616 abgerissen. 1630 Neubau unter Baumeister Cypriano Biasino im frühbarocken Stil. Der gotische Turm wurde erst 1798 erhöht und mit einem Barockhelm gekrönt. Das weiträumige Langhaus mit je vier Seitenkapellen besitzt Deckenmalereien und Altargemälde von Kremser-Schmidt. Sehenswert sind ein Lettner (1354), die Kanzel und das Chorgestühl von Götz, im Querschiff der Kreuzaltar von M. Steinl, ein Marienaltar (1757) mit kleiner Marienstatue (1420) und die Schletterer-Figuren am Nepomukaltar. Die **Piaristenkirche Unsere Liebe Frau** steht an der Stelle, wo einst die 1040 gegründete alte Pfarrkirche St. Stephan stand. 1475 wurde der Chor, 1477 des Baldachinportal und 1515 das Langhaus im spätgotischen Stil erbaut. Am Hochaltar und den Seitenaltären Gemälde des Kremser-Schmidt, des hervorragenden Barockmalers, der 1718 in Grafenwörth geboren

wurde und 1756–1801 in Stein lebte. Gleich neben der Kirche liegt das **Piaristenkollegium,** 1639 nach Plänen von C. Biasino erbaut. Die **Gossoburg** ließ sich der Kremser Stadtrichter Gosso 1275 im Stil der italienischen Stadtpaläste errichten. Die **ehem. Dominikanerkirche** wurde 1236 gegründet (Kloster). Die basilikale Anlage wurde um 1265 fertiggestellt, jedoch ohne Chor, der erst Anfang des 14. Jhs. dazugebaut wurde. 1785 wurde die Kirche profaniert und dient nach wechselvollem Schicksal seit 1891 als Museum. Heute beherbergt das ehem. Kloster das **Historische Museum der Stadt Krems** mit dem österreichischen **Weinbaumuseum.** Die 1470 in eine Häuserzeile eingebaute **Bürgerspitalkirche** ist spätgotisch mit reizendem Sakramentshäuschen. Große Fenster mit reichem Maßwerk und Kreuzwegbilder von Andreas Rudroff (Kremser-Schmidt-Schule) sind sehenswert. Das Renaissance-**Rathaus** wurde im 15. und 16. Jh. errichtet. Das **Sgraffitohaus** aus dem 16. Jh. gilt als Meisterwerk der Sgraffitokunst vom Maler Hans von Pruch. Das **Wohnhaus des Baumeisters Cipriano Biasino** ist aus dem 16. bzw. 17. Jh. mit reicher barocker Verzierung. Durch eine noble Fassade mit stilvoller Gestaltung zeichnet sich das 1722–24 von Oswald Trifatter erbaute **Institut der Englischen Fräulein** aus. Der **Pulverturm** wurde 1477 erbaut, im 17. Jh. umgebaut und diente als Pulvermagazin. Der **Pfarrhof** (um 1746) hat eine schöne einheitliche Fassade. Die ehemalige **Ursulakapelle** wurde Anfang des 14. Jhs. erbaut, daneben der Turm des ehem. **Passauer Hofes** aus dem 13. Jh. Zahlreiche **Bürgerhäuser und Höfe,** wie das „Mesnerhaus", das „Haus zu den vier Jahreszeiten", der „Gasthof Alte Post", der „Klosterneuburger Hof", der „Fellnerhof", das „Göglhaus", die „Mohrenapotheke" und noch viele andere Häuser sind sehenswert und ergeben mit vielen Erkern, Portalen, Sgraffito- und Stuckverzierungen und schönen Innenhöfen ein überaus reizvolles Stadtbild.

Sehenswertes in Stein:
Die **Pfarrkirche St. Nikolaus** ist eine gotische, dreischiffige Hallenkirche aus dem 15. Jh. Der Westturm ist mit schwungvollen spätgotischen Details geschmückt, besonders am Kielbogentor. Das letzte Geschoß wurde 1714 nach Entwürfen von Jakob Prandtauer aufgesetzt. Die Altarbilder schuf der Kremser-Schmidt. Die **ehemalige Minoritenkirche** (1264), eine dreischiffige, spätromanische Pfeilerbasilika, wurde im frühen 14. Jh. um den Chor vergrößert. Heute birgt die profanierte Kirche das **Martin-Johann-Schmidt-Museum,** die dem berühmten Barockmaler „Kremser-Schmidt" gewidmete Sammlung (auch laufend Kunstausstellungen der Stadt Krems). Die **ehemalige Frauenbergkirche** (frühgotisch, 13. Jh.) wurde 1785 entweiht, 1963–65 restauriert und dient heute als Ehrenmal für die Gefallenen beider Weltkriege. Das **Wohnhaus des Kremser-Schmidt,** der hier von 1756 an wohnte, schmückt eine spätbarocke Fassade. Der **Göttweigerhof mit Kapelle** wurde 1286 erstmals erwähnt und lag früher außerhalb der Stadt. Deshalb besaß er einen eigenen Torturm. In der Kapelle bemerkenswerter Freskenschmuck (1305–10). Aus dem 17. Jh. stammt das **Steiner Rathaus** mit doppeltem Giebel. Davor steht die **Nepomuk-**

Säule von 1715. Der große **Passauer Hof** war schon 1263 als Zehenthof des Bischofs von Passau bekannt. Gewaltiger Bau mit charakteristischen Rundbogenzinnen und Ecktürmchen. Das **Mazettihaus** war das Stadtpalais des Bürgermeisters und kaiserlichen Rates Jacob Oswald von Mayreck und wurde 1719 – 21 erbaut. Es war auch Wohnhaus des Mozartforschers Ludwig Ritter von Köchel. Das prunkvollste und schönste Renaissancehaus von Stein ist das ehemalige **kaiserliche Mauthaus** von 1536. Die **Mariensäule** wurde 1744 von einigen Bürgern gestiftet. Das **Kremser Tor**, das **Plumper Tor** und das **Linser Tor** lassen zusammen mit Teilen der alten **Stadtmauer** die mittelalterliche Ausdehnung der landesfürstlichen Stadt erkennen. Die Anlagen wurden durchwegs im 15. Jh. erbaut und im 16. Jh. verstärkt. Auch hier gibt es noch viele schöne **Bürgerhäuser,** vor allem an der **Steiner Landstraße** und einige zum Fluß hin offene schöne **Plätze** mit Barockstatuen oder -säulen.

Im Vorort **Und** steht die **ehem. Kapuzinerkirche** mit Klostergebäuden von 1614. Nach Aufhebung von Kloster und Kirche kam die Inneneinrichtung in die Kremser Pfarrkirche. Sehenswert ist auch die **Filialkirche St. Anton in Weinzierl.** Es ist ein kleiner spätromanischer Bau mit frühgotischem Langhaus.

LAA an der Thaya G 2

Höhe: 186 m ü. d. M. – Einwohner: 6500. – Postleitzahl: A-2136. – Telefonvorwahl: 0 25 22. – Auskunft: Stadtamt Laa an der Taya, Tel.: 5 01.

Im Norden des Weinviertels liegt nahe an der Grenze zur Tschechoslowakei die alte Stadt Laa. Sie ist heute durch die Grenze vom Ufer der Thaya getrennt. Laa ist ein Zentrum von Handel, Gewerbe, Industrie, aber auch dem Fremdenverkehr wird alles geboten.

Geschichte: Im Jahre 1150 erfolgte die erste urkundliche Erwähnung. Die Altsiedlung ist verschollen. Erhalt der Stadtrechte 1240. Die Stadt ist eine planmäßige Gründung der ersten Hälfte des 13. Jhs. in den Thayaauen.

Sehr sehenswert ist die **Pfarrkirche St. Veith**, ein romanisch-gotischer Bau aus dem 13. Jh. mit dreischiffigem Langhaus und gleichhohem Chor, gotischer Westturm. Auch der Innenraum ist spätromanisch-frühgotisch, die Ausstattung jedoch großteils barock (Hochaltar 1745, Chorgestühl 1772, Kanzel 1756). Aus der Gotik sind bemerkenswert: Kruzifix Ende 13. Jh., Vesperbild aus Stein um 1400 und ein Grabstein (Mert Valbach) 1400. Die **Spitalskirche St. Jakob** mit gotischem Chor wird schon 1295 erwähnt. In der Nordostecke der alten Stadt steht die **Burg.** Sie wird erstmals 1413 erwähnt und im 15. und 16. Jh. zur Wohnburg ausgebaut. In der Burg ist heute das erste österreichische **Biermuseum** untergebracht. Auf dem Pfarrplatz steht die große barocke **Dreifaltigkeitssäule** von R. Mayrhofer (1710/1739). Am Hauptplatz steht noch der **Pranger** von 1575 und die Mariensäule (1680).

10 km südlich von Laa liegt **Staatz,** das von einer auf hohem Bergrükken liegenden **Burgruine** (schöne Aussicht, Reste von Bergfried und Palas) gekrönt wird.

Die Stadt **Poysdorf,** ca. 20 km östlich von Laa, hat eine große frühbarocke **Pfarrkirche** mit zum großen Teil klassizistischer Ausstattung vorzuzeigen. Die **Pestsäule** (1715) am Hauptplatz stammt von Rochus Mayrhofer.
Falkenstein, ca. 15 km östlich von Laa, wird von einer weitläufigen **Burgruine** beherrscht. Sehenswert ist auch die romanisch-gotische **Pfarrkirche St. Jakob d. Ä.** und der **Kalvarienberg** aus dem 18. Jh.

LANGENLOIS E 3

Höhe: 220 m ü. d. M. — Einwohner: 6500. — Postleitzahl: A-3550. — Telefonvorwahl: 0 27 34. — Auskunft: Fremdenverkehrsreferat der Stadtgemeinde Langenlois, Tel.: 21 01-15.

Langenlois ist die größte Weinstadt Österreichs an der Grenze zwischen Waldviertel unmd Weinviertel.
Geschichte: In der ersten Urkunde hieß die kleine Siedlung 1082 „Liubisa", die Liebliche. Später kommen „Nieder- und Ober Aigen" dazu. 1310 erhielt der Ort das Marktrecht und 1518 ein Wappen verliehen. Anfang des 15. Jhs. erfolgte die Zusammenlegung der beiden Aigen zum landesfürstlichen Markt Langenlois. 1901 wurde der Ort Haindorf eingemeindet und der Markt 1925 zur Stadt erhoben. Von 1968 bis 1972 wurden die Weinbauorte Mittelberg, Reith, Gobelsburg, Schiltern und Zöbing der Stadt angegliedert.
Mittelpunkt der Stadt neben dem Rathaus ist die **Stadtpfarrkirche St. Laurentius** mit barocker Westfassade und Barockturm, beides vom Wiener Baumeister Matthias Gerl (1754/55). Der frühgotische Bau des 13. Jhs. wurde im 18. Jh. barockisiert. Im nördlichen Seitenschiff haben sich schöne Fresken aus dem frühen 13. Jh. erhalten. Der gotische Hochaltar stammt aus der Zeit um 1500, die fehlenden Seitenteile wurden durch Helmut Kies, einen phantastischen Realisten, ergänzt. In der rückwärtigen Seitenkapelle und im Presbyterium Bilder vom Kremser-Schmidt. Der barocke Turm (1754 auf 55 m erhöht) ist einer der schönsten im Lande. Die **Filialkirche St. Nikolaus** ist die älteste Kirche der Stadt. Der zweischiffige gotische Bau wurde im 18. Jh. ebenfalls barockisiert. Im Chor haben sich sehenswerte Reste gotischer Glasmalerei erhalten. Gegenüber der **Taubenfang,** Rest eines Wachturmes. Aus der Mitte des 15. Jhs. stammt die vierflügelige Anlage des **Franziskanerklosters.** Im Süden steht die spätgotische Pfeilerbasilika der **Klosterkirche,** die 1458 geweiht wurde. Das Kloster ist heute Internat. Sehr sehenswert ist das **Heimatmuseum** am Rathausplatz 9. Vor dem Haus der **Pranger** mit Ritterfigur. Das Gebäude aus dem 16. Jh. besitzt einen schönen Erker. Die Barockfassade des **Rathauses** (1728) besitzt auch noch Bauteste aus Gotik und Renaissance. Den Sitzungssaal schmücken Stukkaturen des 18. Jhs. und Gemälde aus dem 17. Jh. Einer der schönsten Plätze Österrreichs ist **der Kornplatz.** Er ist umgeben von gut erhaltenen **Häusern** aus dem 16., 17., 18. Jh. Die Ostseite des Platzes schließt das **ehem. Bürgerspital** mit der Elisabethkirche (1420) ab.
Im Stadtteil **Mittelberg** sollte man sich die barocke **Pfarrkirche St. Wolfgang** ansehen, die ein spätgotischer Chor und zwei bemerkens-

werte Bilder (Tafelbild Anbetung der Könige um 1500 und Gemälde Hl. Dreifaltigkeit von Martin Johann Schmidt 1800) schmücken.
Einen Besuch wert ist auch **Gobelsburg**. Die **Pfarrkirche Mariä Geburt** ist eine spätgotische Pfeilerbasilika, 1749 barockisiert. Barocker Hochaltar mit Figuren von Jakob Schletterer. Fresken aus dem 14. und 15. Jh. in den Arkadenbögen. Noch aus romanischer Zeit haben sich außen am Chor zwei interessante Steinreliefs erhalten. Das **Schloß** erhielt im 16. Jh. seine jetzige Gestalt (18. Jh. barockisiert). In den Innenräumen schöne Stuckdecken und eine sehenswerte Schloßkapelle mit einem Altarbild des Kremser-Schmidt (1769). Schöner Barockhof mit Renaissancearkaden. Das Schloß ist auch für Weinkenner zu empfehlen (Gutshof des Stiftes Zwettl). Das **Schloßmuseum** (Volkskunde) ist täglich von 9 – 18 Uhr geöffnet. 1979 wurde um den Ort herum der erste österreichische **Bildstockwanderweg** angelegt.
Sehenswert in **Schiltern:** Pfarrkirche St. Pankratz (1681), die Pestkapelle (1731, Hochaltar von Andreas Krimmer!), der Pranger (17. Jh.), die Johann-Nepomuk-Säule (18. Jh.), die Donatus-Höhe (Säule um 1720) und das **Schloß** (1636). Sehenswert sind hier die Stuckdecken in den Sälen, das Rokokogartentor und die Schloßkapelle mit Fresken von J. M. Daysinger.
Der alte Markt **Zöbing** wird auch „Grinzing des Kamptales" genannt. Die Pfarrkirche St. Martin (15. Jh.) wurde im 18. Jh. barockisiert. Am Hochaltar vier künstlerische wertvolle Bilder aus dem 15. Jh. Barocksäulen und ein Pranger (17. Jh.) schmücken den Ort.

LAXENBURG G 5

Höhe: 176 m ü. d. M. — Einwohner: 2200. — Postleitzahl: A-2361. — Telefonvorwahl: 0 22 36. — Auskunft: Gemeindeamt Laxenburg, Tel.: 7 11 01.

Bekannt wurde Laxenburg durch sein ehemaliges kaiserliches Lustschloß mit herrlichen Parkanlagen und durch seine zahlreichen Adelssitze. Der große Schloßpark ist heute ein beliebtes Freizeitzentrum.

Geschichte: 1130 wird der Ort als „Lachsendorf" erstmals urkundlich erwähnt. Seit 1333 war Laxenburg habsburgisches Lust- und Jagdschloß. 1388 verlieh Albrecht III. dem Ort die Marktrechte und unter ihm baute auch Meister Michael die Burg aus. Die Blütezeit Laxenburgs aber lag im 18. und frühen 19. Jh.
Der Markt, noch mit einigen **Wohnsitzen des Wiener Adels,** war zur Zeit Maria Theresias (1740 – 1780) eine beliebte Sommerfrische. Die **Pfarrkirche Erhöhung des Kreuzes** (1693 – 99) ist ein überkuppelter Zentralbau von schöner Ausgewogenheit. Im Inneren weist er reiche Stuckdekorationen auf, und die Kanzel ist ein Meisterwerk früher Rokokoplastik (J. B. Straub). Vor allem anderen aber kommt man hierher, um die Zeugen einer untergegangenen Welt zu bewundern. Drei Zeitalter haben hier etwas wachsen lassen: Mittelalter, Barock und Romantik. Das **Alte Schloß** (1224, 1291 und 14. Jh.), das ursprünglich von einem Wassergraben umgeben war, ist mit der Unregelmäßigkeit seiner beiden Höfe wie ein Spiegel der ältesten Geschichte von Laxenburg. Der **Blaue Hof,** ein besonders bemerkenswertes Beispiel des Spätba-

rock, wurde unter Maria Theresia neu gebaut und besitzt die wunderschönen **Repräsentationsräume** einer kaiserlichen Sommerresidenz. Eine lange Auffahrt führt zum **Speisesaalflügel,** der besonders fein mit Stuck und Malereien ausgestattet wurde. Als Abschluß wurde 1753 das **Theater** erbaut, mit ovalem Zuschauerraum, großer Mittelloge und Balkonen. Die **Franzensburg,** die Franz II. sich errichten ließ, ist ein Hauptwerk klassischer Romantik mit einer zum Teil aus Kirchen- und Klosterbesitz zusammengetragenen Einrichtung, gemischt mit zahlreichen Erneuerungen und romantischen Fälschungen. Das schönste an Laxenburg aber ist der **Park.** Schon im Mittelalter wurde der erste Wildpark angelegt und seltene Bäume gepflanzt. Heute ist die Anlage ein großartiges Beispiel fürstlicher Naturliebe und Gartenkunst.

Ca. 6 km nordöstlich von Laxenburg liegt **Maria Lanzendorf.** Das Dorf, vermutlich ein frühchristliches Kulturzentrum, besitzt eine vielbesuchte Wallfahrtstätte. Die **Pfarrkirche Schmerzhafte Muttergottes** (Pfarre seit 1349) ist ein großer Bau von 1699, dessen ältester Teil, die Gnadenkapelle wahrscheinlich die alte gotische Kapelle ist. Ihr prunkvoller Hochaltar hat ein charakteristisches Bild von Rottmayr. Der **Kalvarienberg** ist eine weitläufige Felsenanlage mit Kapelle, Grotten und einer Kreuzigungsgruppe als Krönung.

LEIBEN D 4

Höhe: 333 m ü. d. M. — Einwohner: 1300. — A-3652. — Telefonvorwahl: 0 27 52. — Auskunft: Marktgemeinde Leiben, Tel. 72 87.

Nördlich von Melk liegt der romantische Ort, der sich von der Donau bis hinein ins liebliche Weitental erstreckt. Von Wiesen und Wäldern wird der ca. 150 m über dem Donautal gelegene Ort umgeben.

Geschichte: 1113 wird erstmals Leiben als Lupan erwähnt. 1196 wird ein Ortolf von Luiben und 1237 ein Rüdiger von Liden genannt. 1402 wurde die Burg wegen Raubaktionen im kaiserlichen Auftrag zerstört. Josef von Fürnberg war im 18. Jh. Besitzer des Schlosses, das 1796 an das Kaiserhaus kam.

In markanter Hochlage liegt die **Pfarrkirche St. Corona** auf dem Boden der ehemaligen Burg. Die spätgotische Kirche, zwischen 1480 und 1500 erbaut, hat einen hohen gotischen Westturm mit barockem Zwiebelhelm (Grabmäler des 16. Jhs., Holzaltäre des 17. Jhs.). Am tiefsten Punkt des Ortes steht das **Renaissanceschloß** mit massigem, unregelmäßigem Baukörper des 17. Jhs. und zwei Eckrundtürmen. Zwei schöne Höfe, eine Kapelle (1615), großer Saal mit Deckengemälden und die Schloßtaverne (1785) sind sehenswert.

Ebersdorf: Pfarrkirche St. Blasius, eine typische ehem. Wehranlage. Umgebaut 1754/65 mit einem Hochaltarbild des Kremser-Schmidt (1795). Der Pfarrhof (um 1790) hat ein glockenförmig geschweiftes Dach mit Holzschindeldeckung.

Weitenegg: Die Burgruine (urkundl. 1108) ist eine bedeutende langgestreckte Anlage auf einem Felsenhügel. Sie stammt teilweise aus dem Mittelalter (12. Jh.) und aus dem 14./15. Jh. Der Sage nach soll Rüdiger v. Bechelaren im 9. Jh. die Burg erbaut haben.

Urfahr: Sehenswert ist hier ein spätgotischer **Bildstock** mit Muttergottes (nach 1500).

Ca. 5 km nördlich von Leiben liegt der Markt **Weiten** (1050 urk. erwähnt, 1313 Markt) in einer Talerweiterung des Weitenbaches. Sehr sehenswert ist die gotische **Pfarrkirche St. Stephan** mit wertvollen Glasmalereien aus dem 14. Jh. Die Wände schmücken Freskenreste aus dem 14. Jh. und bemalte Sitznischen, bedeutender Hochaltar (1640), Sakramentshäuschen. Schöne alte Bürgerhäuser mit Fassaden aus dem 17. Jh. schmücken den Ort. Pranger ebenfalls 17. Jh. Die **Burgruine Mollenburg** wurde 1295 als Kuenringerburg zerstört und 1540/50 durch die Rogendorfer umgebaut, Verfall seit 1860.

Auskunft durch Marktgemeinde Weiten, Tel.: (0 27 58) 82 46.

LILIENFELD E 5

Höhe: 383 m ü. d. M. — Einwohner: 3000. — Postleitzahl: A-3180. — Telefonvorwahl: 0 27 62. — Auskunft: Gemeindeamt Lilienfeld, Tel.: 22 12/0.

Lilienfeld, die Perle des Traisentales liegt an der alten Wallfahrerstraße nach Mariazell und hat sich hier zum Kulturmittelpunkt entwickelt. Lilienfeld ist Hauptstadt des gleichnamigen Bezirks, des waldreichsten Österreichs.

Geschichte: Um 400 v. Chr. wurde die Gegend von Kelten besiedelt. Zur Römerzeit lag Lilienfeld an der Erzstraße von Aelium Cetium (St. Pölten) nach Eisenerz. Um 600 herrschten hier die Awaren und ab 800 gehörte es zur bayerischen Ostmark. 1170 wurde erstmals die Lilienfelder LW-Hof Eichberg erwähnt, 1180 der Ortsteil Schrambach. 1202 wurde durch Herzog Leopold den Glorreichen das Stift gegründet. 1974 wurde Lilienfeld zur Stadt erhoben. Lilienfeld ist auch die Geburtsstätte des alpinen Skilaufs. Unter M. Zdarsky (1856—1940) fand 1905 der erste Torlauf der Skiweltgeschichte am Muckenkogel statt.

Die **Stifts- und Pfarrkirche Mariä Himmelfahrt** wurde 1230 geweiht. Der hallenförmige Chorumgang stammt noch aus dieser Zeit. Der zweischiffige Hallenchor ist die früheste kirchliche Halle Österreichs. Die spätrom.-frühgotische Pfeilerbasilika zählt zu den größten Kirchen Österreichs. Das Haupt- und die Nebenportale sind mit Figuren geschmückt (1775), darunter die Babenbergerfürsten Leopold III. und IV. Die Ausstattung des Inneren stammt aus der Barockzeit. Bemerkenswert ist der große Hochaltar mit einem Altarbild von Daniel Gran (1746). An den Langhauswänden vier Marmoraltäre mit Bildern von M. Altomonte (1731—33). Sehr sehenswert ist auch der **Kreuzgang** an der Südseite der Kirche. Er wurde Mitte des 13. Jhs. erbaut. Im **Kapitelhaus** mit frühgotischem Tor steht der Justinusaltar mit den Gebeinen des hl. Justinus, der 238 in Rom starb. Über der **Sakristei** (1638) mit Stukkaturen und Fresken liegt die **Schatzkammer.** Sie enthält u. a. eine spätgotische Muttergottesstatue (um 1425). Im **Stift** mit bemerkenswerter frühbarocker Front haben sich auch noch mittelalterliche Teile erhalten (Kremserkeller, frühgot. Halle, roman. und gotische Tore). Sehenswert sind im Stift die Gemäldesammlung (Kremser-Schmidt), das Kupferstichkabinett mit Werken von Dürer und Rem-

Stift Lilienfeld, Kreuzgang, Brunnenhaus

brandt, Bibliothek, Kaisersaal und mehrere Prunksäle der Barockzeit. Im Stift ist noch die Nachfolgedokumentation der Landesausstellung 1976 „1000 Jahre Babenberger in Österreich" zu sehen. Das **Bezirksheimatmuseum** (Babenbergstr. 3) gibt einen Überblick über die Geschichte des Bezirks (u. a. Nachlaß des Skipioniers Mathias Zdarsky).

LITSCHAU C 1

Höhe: 530 m ü. d. M. — Einwohner: 3600. — Postleitzahl: A-3874. — Telefonvorwahl: 0 28 65. — Auskunft: Stadtamt Litschau, Stadtplatz 25, Tel.: 2 19.

Die von ausgedehnten Wäldern umgebene Sommerfrische Litschau ist die nordöstlichste Stadt Österreichs.

Geschichte: Der Ort wird erstmals 1229 unter der Bezeichnung „Litschowe" erwähnt, 1241 heißt er „Liezauw" und 1541 taucht er erstmals als Litschau auf. Seit 1363 führt die Stadt ihr heute noch gültiges Wappen. Zu dieser Zeit war Litschau jedoch noch Markt, doch bereits mit den Rechten einer Stadt. Die Stadterhebung erfolgte zwischen 1369 und 1386. Die Pfarre ist sicher älter als ihre Nennung von 1233.

Wahrzeichen Litschaus ist der prächtige runde Bergfried der **Burg**. Er ist nur über eine Außenleiter zugänglich. Die umgebenden Wohngebäude im malerischen Hof stammen großteils aus dem 16. und 17. Jh. Das **Neue Schloß** ist ein einfacher Barockbau aus dem Jahre 1793. Die **Pfarrkirche St. Michael** ist eine gotische Hallenkirche des 15. Jhs. Chor und Turm sind etwas älter. Bemerkenswert ist der Freskenschmuck im Chor (um 1400) und an der Nordwand (1380). Auf dem rechten Seitenaltar eine Madonna mit Kind aus der Mitte des 15. Jhs. Die **Lichtsäule** vor der Kirche stammt von 1514. Zu bemerken sind noch der **Schrammel-Brunnen**, zur Erinnerung an den Meister der Wiener Volksmusik, der in Kainrats (2 km nördlich) geboren ist; ein spätgot. **Stadttor** an der Brücke und auf dieser ein hl. Nepomuk (1737). Der **Pranger** stammt von 1688. Das **Mosaik** am Haus Nr. 280 stellt den Minnesänger „der Litschower" dar. Es lohnt sich auch ein Besuch im **Heimatmuseum**.

Südöstlich von Litschau (6 km) liegt **Eisgarn**. Hier solle man sich die **Stiftskirche Mariä Himmelfahrt** anschauen. Die bemerkenswerte frühgotische Basilika enthält ein Fresko der hl. Elisabeth (14. Jh.), ein schönes barockes Chorgestühl und eine Rokokoorgel.

LUNZ am See C 6

Höhe: 605 m ü. d. M. — Einwohner: 2300. — Postleitzahl: A-3293. — Telefonvorwahl: 0 74 86. — Auskunft: Gästedienst der Marktgemeinde Lunz am See, Tel.: 3 10.

Die Marktgemeinde Lunz am See liegt eingebettet in die Berge des Voralpenlandes. Außer der würzigen Bergluft hat die bereits 1203 erstmals erwähnte Gemeinde auch Sehenswürdigkeiten vorzuzeigen.

Das berühmte **Ammonhaus** (Sgraffito-Fassade) beherbergt das **Heimatmuseum**. Die spätgotische **Pfarrkirche „Maria im Goldenen Sessel"** besitzt ein Sternrippengewölbe, Maßwerfenster und zwei gotische Tore. Am Hochaltar große thronende Madonna mit Kind (15. Jh.).

Zu den natürlichen Kostbarkeiten zählen die drei glasklaren Bergseen: der **Lunzer See**, der **Mittersee** und der in 1113 m Seehöhe zwischen Kelsköpfen und Almwiesen eingebettete **Obersee**. Weit verstreut in freundlichen, stillen Hochtälern liegen an die 80 schmucke **Bergbauernhöfe**, die auf zahlreichen (mehr als 100 km) Wanderwegen erreichbar sind. Skigebiet „Maiszinken".

MARCHEGG HI 4

Höhe: 141 m ü. d. M. — Einwohner: 2700. — Postleitzahl: A-2293. — Telefonvorwahl: 0 22 85. — Auskunft: Stadtamt Marchegg, Tel. 2 91.

Marchegg ist eine alte Grenzstadt am Rande des Marchfeldes.
Geschichte: Die Stadtgründung fand 1268 nach dem Sieg des Böhmenkönigs Ottokar II. über den Ungarnkönig Bela (12. 7. 1260) statt. Es sollte ein festes Bollwerk gegen Ungarn werden. Gleichzeitig wurde das Schloß als feste Burg erbaut. Marchegg war seit der Gründung landesfürstlicher Besitz. 1502 wurden das Schloß und die Herrschaft pfandweise dem Grafen Niklas Salm übergeben. Die Türken eroberten und zerstörten Marchegg 1529. Die Stadt wurde danach mit Schwaben neu bevölkert.
Die **Tore** des nie ganz ausgebauten Mauerrings sind teilweise noch erhalten (Wiener Tor, Ungarntor). Eigenartig ist die Anordnung eines Rundturms neben den Tortürmen, deren Durchfahrtshallen frühgotische Sitznischen aufweisen. Die **Pfarrkirche St. Margareta** ist ein Leckerbissen für Kulturfreunde. Ihre ältesten Teile (Chor) gehen bis in die Zeit der Stadtgründung zurück, und sie stellt mit ihrem dreijochigen Langchor einen Meilenstein in der Entwicklung der Frühgotik in Österreich dar. Das **Schloß,** die alte Trutzburg mit festen Mauern und Türmen, erhielt um 1730 seine gefällige barocke Form. Die Gräben und Wälle der einstigen Wasserburg wurden zu Park- und Gartenanlagen umgestaltet. Das Schloß ist heute nach wechselvoller Geschichte im Besitz der Stadt und beherbergt zwei Museen: das **Heimatmuseum** und das bekannte **Niederösterreichische Jagdmuseum.** Es wird die Wald-, Feld-, Wasser- und Gebirgsjagd dargestellt, aber auch Kunst und Musik in der Jagd, Jagdwaffen und eine Jagdstube. Öffnungszeiten: täglich außer Montag 9—12 und 13—17 Uhr. Weiterhin sehenswert sind das **Zollwachedenkmal** an der March, der **Pulverturm** und besonders das **World-Wildlife-Fund-Naturschutzgebiet Marchauen** und das **Vogelschutzgebiet Kleiner Breitensee** (Weißstorchkolonie).

MARIA LAACH D 4

Höhe: 580 m ü. d. M. — Einwohner: 1000. — Postleitzahl: A-3643. — Telefonvorwahl: 0 27 12. — Auskunft: FVV Maria Laach am Jauerling, Tel.: 2 39.

Romantische Straßen führen entlang an klaren Waldbächen und freundlichem Mischwald vom Ufer der Donau hinauf zum Wächter der Wachau, dem Jauerling. Hier liegt auf halber Höhe, umgeben von fruchtbarem Bauernland, der Wallfahrtsort Maria Laach.
Geschichte: Der Ort wurde urkundlich erstmals 1336 als Markt genannt. Es bestand bereits eine Kapelle. Im 16. Jh. protestantisch unter dem Patronat der Grafen Kuefstein, die jedoch den Marienaltar unverändert beließen. 1634 Wiedereinsetzung eines katholischen Pfarrers und Bau eines neuen Pfarrhofs. 1615 war ein schweres Pestjahr, 1719 erfolgte angeblich wundertätige Heilung und anschließend wurde die Kirche eine stark besuchte Wallfahrt.
Die **Pfarrkirche Mariä Heimsuchung** (14./15. Jh.) ist eine bemerkenswerte spätgotische Kirche. Das dreischiffige, netzrippengewölbte Langhaus zeigt außen sehr verschiedenartiges Maßwerk. Durch das

reich verstäbte Steinportal tritt man ins Kircheninnere und ist beeindruckt von der Raumwirkung der gestaffelten Kirchenschiffe. Der helle und schlichte Chor (vor 1400) wird aus leichten Kreuzrippengewölben gebildet und umgibt mit schöner Lichtwirkung den künstlerisch bedeutenden Hauptaltar. Ein spätgotischer Flügelaltar (1480/1500) mit Doppelflügeln, teils mit Holzreliefs, teils mit schönen Tafelbildern, im Mittelschrein eine überlebensgroße sitzende Madonna unter reich geschnitztem Baldachin. Im linken Seitenschiff befindet sich der Altar mit dem Gnadenbild, einem Ölbild auf Holz: „Muttergottes mit den sechs Fingern" und der darüberliegenden inschriftlichen Datierung „1496". Links neben einem Langhauspfeiler der spätgotische Taufstein mit Wappenschild (um 1520), bestehend aus einem monolithen Granit. Rechts davor befindet sich das Renaissance-Prunkgrab Joh. Georg III. von Kuefstein (1607), aus mehrfarbigem Marmor und Kalkstein, das ein für Niederösterreich einzigartiges Beispiel seiner Zeit mit allen typischen Stilformen darstellt. Die kelchförmige Steinkanzel mit feinem Maßwerk ist ebenfalls ein bedeutendes Werk der donauländischen Spätgotik.

Eine Straße führt von Maria Laach hinauf zum **Gipfel des Jauerling** mit

Gnadenbild Pfarrkirche Maria Laach

der Alpenvereins-Aussichtswarte (959 m) und der Rundfunksendeanlage mit 139,5 m hohem Sendemast.

MARIA TAFERL C 4

Höhe: 443 m ü. d. M. — Einwohner: 800. — Postleitzahl: A-3672. — Telefonvorwahl: 0 74 13. — Auskunft: Marktgemeinde Maria Taferl, Tel.: 3 02.

Auf einem nach Süden vorgeschobenen Höhenrücken der Waldviertler Granithochfläche liegt der bekannte Erholungsort Maria Taferl. Auf dem höchsten Punkt erhebt sich die gleichnamige, vielbesuchte Wallfahrtsbasilika, von deren Vorplatz man einen einmaligen Fernblick auf das Donautal und die Alpenkette hat.

Geschichte: Der Ort wurde von der Herrschaft Pöchlarn durch einen Ortsrichter verwaltet und bildete sich langsam mit der Entstehung der Wallfahrt. Um 1630 war die Berghöhe noch bewaldet; seit dieser Zeit gibt es Prozessionen und Wallfahrten zu ihrem höchsten Punkt. Seit 1784 ist Maria Taferl selbständige Pfarrei.

Die **Wallfahrtskirche Schmerzhafte Muttergottes** steht auf einem Platz, wo sich wahrscheinlich schon eine vorchristliche (keltische) Kultstätte befand. Davon zeugt noch heute der berühmte **„Taferlstein"**, neben der Kirche; ein Opferstein, der auf einem Sockel liegt und von einer Balustrade umgeben ist, die die Jahreszahl 1636 trägt. Der stattliche barocke Bau (1660—1710) der Kirche ist sehr einheitlich in seiner Konzeption. Sein kreuzförmiger Grundriß wird überhöht von

Maria Taferl

der kraftvollen Kuppel (Jakob Prandtauer), und zwei Türme mit Zwiebelhelmen rahmen die Südfassade ein. Die Tonnengewölbe im Langhaus, Querschnitt und Chorteil sind mit reichen Deckengemälden und Stukkaturen geschmückt. Im Volksmund heißt die Kirche die „Goldene". Von allen Seiten hat man freien Blick auf die prachtvolle Kanzel und den Hochaltar, die glanzvolle Kunstwerke des Barocks sind, festlich und breit in Glanzgold gefaßt. Die **Sakristei** hinter dem Hochaltar zeigt noch die ursprünglichen Renaissanceelemente und schöne Renaissancekästen. Die darüber liegende **Schatzkammer** ist ein herrlicher Raum und in buntem, volkstümlichen Barock ausgemalt und mit Fresken, die an der Decke Erscheinungen der Ursprungsgeschichte, an den Wänden aber wunderbare Heilungen darstellen, ausgestattet. Bemerkenswert ist eine vergoldete Pietà, die bei Prozessionen mitgetragen wird und ein Pluviale aus dem Brautkleid der unglücklichen Kaiserin Elisabeth, sowie Meßgewänder, die von Mitgliedern des Kaiserhauses selber gefertigt oder gespendet wurden. Die **Krypta** liegt an der Nordseite der Basilika unter der Sakristei und ist ein alter Kellerraum mit Rundgewölben, die die Vermutung nahelegen, daß hier in den Anfängen ein Gottesdienstraum gewesen sein könnte. Westlich neben der Kirche liegt der **Pfarrhof,** ein mächtiger barocker Bau. Die Fenster haben teilweise schöne schmiedeeiserne Gitter (um 1730), und die „Kaiserzimmer" überraschen durch ihre aufwendige Rokokoeinrichtung.

MAUERBACH F 4

Höhe: 281 m ü. d. M. — Einwohner: 2400. — Postleitzahl: A-3001. — Telefonvorwahl: 0 22 22. — Auskunft: Marktgemeinde Mauerbach, Tel.: 97 16 77.

Die Marktgemeinde Mauerbach liegt westlich von Wien im Wienerwald.

Geschichte: Besiedlung schon zur Kelten- und Römerzeit. Ende der Römerzeit durch Bajuwaren oder Awaren. Erste urkundliche Erwähnung im Jahre 836. Bestimmt datiert wird Mauerbach in einer Urkunde Friedrichs des Streitbaren vom 2. 11. 1231. Am 29. 5. 1983 wurde Mauerbach zur Marktgemeinde erhoben.

Das im Jahre 1313 von Friedrich dem Schönen gestiftete und 1316 vollendete **Kloster,** welches zunächst den Namen „Allerheiligental" trug, wurde unter Josef II. im Jahre 1782 aufgehoben. Der heute noch guterhaltene Bau gilt vom Grundriß her als typisches Beispiel der von den Kartäusermönchen geschaffenen Klosteranlagen der Barockzeit (1616 – 1631). Vom großen Klosterhof, der einmal als Friedhof gedient hat, stehen nach außen die einzelnen Zellen. Die hohe **Klosterkirche,** in beispielhafter Art der Kartäuser errichtet, wurde auf gotischen Resten am Ende des 17. Jhs. erbaut. Mitten im Hof steht der Chor der spätgotischen **Friedhofskapelle** (um 1400). Die **Pfarrkirche Mariä Himmelfahrt,** einmal zum Kartäuserkloster gehörig, stammt ebenfalls aus dem 17. Jh.

77

MAUER (Gemeinde Dunkelsteinerwald) bei Melk D 4

Höhe: 255 m ü. d. M. — Einwohner: 2000. — Postleitzahl: A-3382. — Telefonvorwahl: 0 27 54. — Auskunft: Gemeindeamt Mauer Nr. 55, Tel.: 64 02

Pfarrkirche Mariä Namen in Mauer

Der Dunkelsteinerwald hat sich seine Anmut und Unberührtheit bewahrt; in verkehrsarmer und industrieloser Gegend bietet er ein noch weitgehend unentdecktes Wandergebiet. Die „geistigen Genüsse" aber findet man in einer Fülle von Sehenswürdigkeiten, die in ihrer Konzentration kaum zu überbieten ist.

Geschichte: Schon der Ortsname, im 11./12. Jh. „ad muri", im 13. Jh. „Muer" oder „Mower" geschrieben, erinnert an Mauerreste, die die Siedler des Mittelalters hier fanden. Die wohlerhaltene Römerbrücke auf dem Weg hierher, der beim Kircheneingang aufgestellte Römerstein und diverse Kleinfunde legen die Vermutung nahe, daß hier schon eine römische Siedlung gewesen ist. Urkundlich 1096 erwähnt ist auch schon die Kirche, die 1110 an Stift Göttweig kam, zu dem die Pfarrei noch heute gehört.

Die **Pfarrkirche Mariä Namen** ist schon äußerlich ein eindrucksvoller und charakteristischer Bau, dessen Äußeres die Grundzüge seiner Baugeschichte deutlich macht. Im Hauptschiff steckt vielleicht noch ein romanischer Mauerkern, dem im 13. Jh. niedrige Seitenschiffe mit schmalen Fenstern vorgelegt wurden, und aus dieser Zeit stammt wahrscheinlich auch der ungegliederte Turm mit Walmdach und Dacherkern. An das flachgedeckte, 1737 barockisierte Langhaus schließen sich seitwärts die ältesten Bauteile an, dessen auffallendster der hohe Chor ist. Er stammt aus dem späten 15. Jh. mit seinen wuchtigen marmornen Strebepfeilern und großen maßwerkverzierten Fenstern. An der Westwand dieses Chorbaues deuten Ansatzstücke von Gewölberippen darauf hin, daß eine dreischiffige Fortsetzung geplant war, die aber nicht ausgeführt wurde. Wenn man das Innere der Kirche betritt, beeindruckt zuerst dieser lichtdurchflutete, von Netzrippengewölbe überspannten Chor. Ihn krönt der spätbarocke Hauptaltar, der in seiner Mitte eine kunstvolle gotische Muttergottesstatue birgt (vor 1400). Linksseitlich ist das einzigartige, spätgotische Sakramentshäuschen „1506" aus hellem Sandstein zu sehen. Die Kanzel ist mit hübschen Putti geschmückt (Mitte des 18. Jhs.). Das Hauptwerk der Einrichtung, Anziehungspunkt für Kunstkenner und Freunde aus aller Welt, ist der 1515 aus Lindenholz **geschnitzte Flügelaltar,** der an der linken Wand des Hauptschiffes steht. Sein Mittelteil mit der voll herausgearbeiteten Figurengruppe und die vier Flügelreliefs sind von einzigartiger Ausdruckskraft. Es verbindet sich hier die temperamentvoll auflodernde Heftigkeit des Spätmittelalters mit der kühl durchdachten Formensprache der Frührenaissance. Über allem aber zeigt der Altar ein „Geheimnis": Er will in allen Einzelheiten gelesen werden, ehe er sich als Ganzes enthüllt. Neben der Kirche erhebt sich der schlichte **Pfarrhof,** der durch seine spätbarocke Fassadengliederung sehr stilvoll und vornehm wirkt (Mitte 18. Jh.). Die **Römerbrücke** findet man ca. 2 km nordöstlich von Mauer (bei Lanzing). Sie ist aus grobem Bruchsteinmauerwerk errichtet und zeigt über einem echten Tonnengewölbe horizontale Steinlagen.

5 km südwestlich von Mauer liegt **Loosdorf** (seit dem 12./13. Jh. Pfarre, seit dem 16. Jh. Markt). Der Ort wird von der **Pfarrkirche St. Lorenz** überragt. Unter Hans Wilhelm von Losenstein (v. d. Schallaburg) Umbau für protestantischen Gottesdienst. Um 1730 entstanden der Turm und der Stuck im tonnengewölbten Langhaus. Zur gleichen Zeit wurde die Innenausstattung geschaffen. Bemerkenswert sind noch eine Madonna aus der Mitte des 15. Jhs. und der Tumbadeckel des Stiftergrabes von 1610.

MAUTERN an der Donau E 3

Höhe: 210 m ü. d. M. — Einwohner: 3000. — Postleitzahl: A-3512. — Telefonvorwahl: 0 27 32. — Auskunft: Stadtgemeinde Mautern, Rathaus, Tel.: 31 51

Wo sich das Engtal der Wachau wieder erweitert, liegt die kleine Stadt mit ihrem schönen, geschlossenen Ortsbild. Bedeutende Funde aus der Römerzeit zeigen die Vergangenheit, bei einem Glas Wein genießt man die Gegenwart.

Geschichte: Römerort Favianis, das „Mutaren" des Nibelungenliedes, urkundlich Stadt seit 907 (Civitas). Das Zusammentreffen der Straßen am Strom verlieh ihr seine Bedeutung; es war eine der wichtigsten Römersiedlungen Niederösterreichs. Unter den Babenbergern besaß die Stadt eine der drei Gerichtsstätten Österreichs. Sie spielte in allen Kriegen (1481 Ungarn, 1645 Schweden und 1741 Österreichischer Erbfolgekrieg) immer wieder eine wichtige Rolle als Brückenkopf am Ende der Wachau. Auch der Handel überquerte hier den Strom; 1463 wurde an dieser Stelle die zweitälteste österreichische Donaubrücke aus Holz gebaut.

Die **Pfarrkirche St. Stephan** ist Pfarre seit 1050 und gehört zum Stift Göttweig. Der mächtige Bau (um 1400) hat ein weiträumiges Langhaus mit riesigem Satteldach und südlichem Turm. Trotz Barockisierung ist der spätgotische Baukern noch gut erkennbar. Triumphbogen und Chor sind ebenfalls noch gotisch. Kleiner barocker Hauptaltar (um

1700) mit glatten und gewundenen Säulen und plastischem Figurenschmuck. Reizvolles spätbarockes Chorgestühl. Eine spätgotische Steinpforte führt links in die Totenkapelle, dem wohl ältesten erhaltenen Teil der Kirche. Schöne Epitaphien, bemerkenswertes Renaissancegrab. Der **Pfarrhof**, erbaut über dem mittelalterlichen Baukern, wurde nach einem Großbrand 1654 barockisiert. Im Inneren gewölbte Räume. Im Garten barockes Gartenhäuschen, vermutlich auf einem ehemals römischen Stadtturm oder -tor gebaut. Gegen die Donau hin anschließend ist die römische Mauer noch zu einem guten Teil erhalten. Die Westseite der Römermauer, später **Stadtmauer** liegt westwärts der Kirche. Eine massige rötliche Bruchsteinmauer, die zu den eindrucksvollsten Denkmalen dieser Art in Niederösterreich gehört; sie ist hier die monumentalste ihrer Art. Vor der Mauer verläuft noch heute, stark vertieft, der römische Stadtgraben. Von der alten Friedhofgasse aus ist der Aufbau der **Margaretenkapelle** (urkundlich 1083) gut erkennbar. Ende des 18. Jh. profaniert, enthält sie heute ein wertvolles Museum mit prähistorischen und römischen Funden aus Mautern (geöffnet So 10 – 12 Uhr). Im schönen kreuzgewölbten Chor wurden reiche frühgotische Fresken freigelegt. An der St. Pöltener Straße liegt der **Janerhof** (auch Geierhof), 1576 von Sebaldus Janer vor der Stadtmauer errichtet. An der Straßenseite findet man ein prachtvolles

Mautern, Römerturm

Rundbogenportal mit Steinsäulen, Plastiken und Wappen. Im Hof schöner Renaissancebrunnen mit Masken und Janerwappen. Barocke Schmiedeeisengitter im Durchgang zum Garten. Auf dem Rückweg in Richtung der Kirche kommt man zum **Nikolaihof** (Vorbesitzer Stift Nikolai bei Passau). Ein großer vielgestaltiger Baublock, der zahlreiche mittelalterliche Gebäudeteile enthält. Der sehr malerische Hof wird umschlossen von Wohn- und Wirtschaftsgebäuden. Die ehemals spätgotische **Agapitkapelle** überragt den westlichen Bauteil; sie steht vermutlich an Stelle der ursprünglichen Kapelle, in der 985 eine Synode abgehalten wurde. Heute profaniert, dient sie als Wohnraum. Beim Durchschlendern der alten Straßen findet man noch viele bemerkenswerte alte Häuser, z. B. Nr. 63, den **Moldhof** mit einer reichen und interessanten Fassade oder Nr. 16, **zum schwarzen Tor** mit stilvollem Renaissance-Portal (1575). Auf dem Weg zur neuen Donaubrücke kommt man am **Schloß** vorbei, ehemals Besitz der Bischöfe von Passau. Die mächtige überwölbte Toreinfahrt führt in einen fast quadratischen Hof, umgeben von vier Flügeln aus drei Jahrhunderten. Eine rote Marmortafel mit Wappen, Reste einer Sonnenuhr als Fresko gemalt (1721), eine gotische Spitzbogenpforte und die alte Ulme im Hof geben der Anlage eine sehr romantische Note. Die große Weinpresse auf dem Rasen vor dem Schloß erinnert daran, daß dies ein Weinland ist und schon zur Zeit des Untergangs des römischen Reiches der Weinbau heimisch war.

MELK D 4

Höhe: 209 m ü. d. M. — Einwohner: 6000. — Postleitzahl: A-3390. — Telefonvorwahl: 0 27 52. — Auskunft: Fremdenverkehrsstelle im Rathaus, Tel.: 23 07-9.

Melk ist ein romantisches Städtchen mit großer Vergangenheit am Westeingang der Wachau. Überragt vom weithin sichtbaren Benediktinerstift, einem der bedeutendsten und prächtigsten Bauwerke Österreichs, hat es seine jahrhundertealten Traditionen bewahrt und ist heute ein Zentralort von lokaler Bedeutung, der durch die 1973 eröffnete Donaubrücke ideale Verkehrsverbindungen gewonnen hat.

Geschichte: Bodenfunde aus der Keramik- und Bronzezeit bezeugen bereits Ansiedlungen dieses strategisch überaus günstigen Platzes; weitere Funde stammen aus Hallstatt- und La-Tène- sowie frühgeschichtlicher Zeit. Die römische Limesstraße von Arelape (Pöchlarn) nach Namare (Melk) führte am Donauufer entlang, eine Altsiedlung befand sich zur Römerzeit auf dem Stiftsfelsen. Urkundlich 831 genannt das „Medelike" des Nibelungenliedes, Markt seit 1277 und seit 1898 Stadt. Der heutige Name ist slawischen Ursprungs und bedeutet Grenze.

Für die Anfänge des Klosters gibt es nur spärliche Urkunden. Der Babenberger Leopold I. erbaute hier nach 976 eine Burg, 1089 wurden die Benediktiner aus Lambach berufen (Abt Sigibold), im 14. Jh. wurde es zur Klosterfestung ausgebaut. Aber nach einem Großbrand, der die mittelalterliche Aufbauarbeit jäh beendete, folgten Jahrzehnte der Krise. Erst das 15. Jh. brachte dem Stift eine durchgehende Erneuerung, die als „Melker Reform" die Benediktinerklöster von Österreich und Süddeutschland erfaßte. Die wissenschaftliche Tätigkeit im Stift blühte und Abt Nikolaus Seyringer (1418–1425) veranlaßte einen Neubau der

Kirche, der bis zum Bau Jakob Prandtauers das Erscheinungsbild des Stiftes prägte. Parteikämpfen zur Zeit Friedrichs III., Einfällen der Ungarn und der Türkenbelagerung um 1529 folgten schwere innere Krisen, die den Protestantismus mit sich brachten. Die katholische Gegenreformation wurde unter Abt Hoffmann in Melk energisch und nicht ohne Härte durchgeführt. Unter Abt Müller bestand das Stift den Türkensturm von 1683, war aber weitgehend zerstört. Unter Abt Berthold Dietmayr (1700 – 1739) begann der Stiftsneubau, die gesamte Altanlage wurde abgebrochen und zusammen mit dem St. Pöltener Baumeister Jakob Prandtauer der Neubau der Klosteranlage begonnen. Nach dessen Tod (1726) leitete der Abt persönlich die Arbeiten mit Baumeister Franz Munggenast und vollendete das Werk 1736.

Auf einem langgestreckten Felsrücken zwischen Stadt und Donau, in unvergleichbarer Art der Donaulandschaft eingefügt, liegen die palastartigen Stiftsbauten, von der Kirche überragt. Melk ist das größte niederösterreichische Kloster, ist das einzige im Spätbarock erbaute Stift dieses Landes. Der großartige, von Jakob Prandtauer geschaffene Bauplan wurde durch den großzügigen Bauabt Berthold Dietmayr zur vollkommenen und einheitlichen Durchführung gebracht, so daß das Stift eine der bedeutendsten Schöpfungen barocker Baukunst nicht nur Österreichs, sondern Europas darstellt. Die schloßartige, einheitli-

Stift Melk

che Barockanlage liegt 320 m lang auf einer Bergzunge von Ost nach West. Im Gesamtbild der Anlage dominiert die 240 m lange Südfront mit ihren 59 Fensterachsen. Diese Front ist ausgespannt zwischen den Befestigungsanlagen im Osten und der dominierenden Gebäudegruppe über dem Felsabsturz im Westen, wo Marmorsaal und Bibliothek die Kirche umfassen. Der Rhythmus des Baus verdichtet sich hier zu einer reichgegliederten Staffelung von Baublöcken, die aus dem Felsen zu wachsen scheinen und im Dreiklang der Kuppel und der aufsteigenden Türme der Stiftskirche gipfeln. Im Vorhof tritt uns die palastartige Hauptfront des Stiftes entgegen. Auf dem Giebel des von Riesenpilastern gegliederten Mittelrisalits halten Engel eine Nachbildung des Melker Kreuzes empor. Die Giebelinschrift heißt: „Fern sei es, sich zu rühmen, außer im Kreuze". Der repräsentativen Bedeutung dieses Eingangs tragen die Obelisken, in der Barockzeit Prachtkegel genannt, Rechnung. In der Torhalle überrascht eine Architektur von höchster Eleganz und Leichtigkeit. Toskanische Säulen tragen eine umlaufende Empore, von der aus einst festliche Musik vornehme Gäste des Stiftes begrüßte. Die Durchfahrt entläßt den Besucher in die blendende Weite des **Prälatenhofes,** der trotz seiner gewaltigen Dimensionen durch die bescheidene Gliederung seiner Wandflächen maßvoll wirkt. Das Plätschern eines barocken Springbrunnens erfüllt den Raum mit Leben. Wir erreichen die **Stiftskirche,** deren Kuppel den Prälatenhof überragt, nicht direkt, sondern durch eine mit Bedacht gewählte Raumfolge. In den weltlichen Bereich des Stiftes führt das kleine, intim wirkende Stiegenhaus mit schönen Plastiken. Weiter empfängt uns das Stift mit dem 196 m langen Kaisergang, den die Portraits der österreichischen Herrscher vom ersten babenbergischen Markgrafen Leopold bis zu Maria Theresia schmücken. An ihn schließen sich die öffentlich nicht zugänglichen Räume der Prälatur an. Es folgen die **Kaiserzimmer,** die museal eingerichtet sind und von denen einige bei der Führung gezeigt werden. Sie haben phantasievolle Stuckverzierungen der Decken und wunderschöne Fußbodenintarsien. Sie zeigen unter anderem Dokumente aus der Geschichte des Stifts, Tafeln vom alten Hochaltar der Stiftskirche und wichtige Schöpfungen der frühen Donauschule, auch Bildnisse des Abtes Dietmayr und Prandtauers sowie Modelle und alte Vogelschauzeichnungen des Stifts. Die Profanräume erreichen ihren Höhepunkt im lichtdurchfluteten Marmorsaal, der den freistehenden Eckflügel der Südfront einnimmt. Rote Pilaster mit Atlanten gliedern die in vornehmem Grau gehaltenen Wände. Auf der durch die geschickte Architekturmalerei scheinbar erhöhten, flachgewölbten Decke des Saales hat Paul Troger 1731 eines seiner Hauptwerke geschaffen. Wie so oft hat er auch hier den Kampf von Licht und Dunkel dargestellt. Wenn wir aus dem Marmorsaal hinaustreten, erwartet uns das schönste Erlebnis, das Melk zu bieten hat, die Vermählung von Kunst und Natur im einzigartigen Blick von der **Altane** des Stifts. Der weite ungehinderte Blick in die friedliche Landschaft ist wie ein Atemholen. Gleich einem Diadem spannt sich der niedrige Verbindungstrakt vom Marmorsaal zur Bibliothek. Diese verwahrt die in den Jahrhunderten gesammelten geistigen Schätze des Stifts. Gedämpft fällt das Licht in diesen Raum, der zu den schönsten **Bibliotheksälen** Europas zählt. An die 580 000 Bände stehen hier, Schätze benediktinischer Geistigkeit. Die beiden großen Globen zeigen, daß auch die Naturwissenschaften gepflegt wurden. Eine in ihrer Anlage hochinteressante Schneckentreppe führt hinab zur **Stiftskirche.** Überwältigend ist der erste Eindruck barocker Farben- und Formenfülle. Die Kirche verbindet Langhaus und Kuppelbau nach einem römischen Schema, die spezifisch österreichische Eigenart liegt in der Durchführung dieses Zentralthemas der barocken Sakralarchitektur. Sie ist Rhythmus aus Stein, Musik als Architektur geformt. Sie setzt den dieser Anlage gemäßen Beschluß. Sie ist von römischer Grandezza, klassisch in den Maßen, sonor in den Farben, kühn und eigenwillig in der Führung der Architekturlinie und des Lichts. Diese Kirche, von Sonnenstrahlen durchzogen, leuchtet in betörenden Farben, in Ziegelbraun und Gold. Und das Kirchenschiff läßt körperlich spürbar die Bewältigung der Gesetze von Raum, Form und Licht erkennen. Dieses Stift, einer der großartigsten Baukomplexe Europas, ist eine triumphale Bekundung barocken Bauwillens, und hier ahnen wir noch heute, wie sich der Mensch des 18. Jhs. sah und wie er seiner tiefsten Frömmigkeit und seinem ausgeprägten Machtstreben Gestalt geben wollte und Gestalt gegeben hat.

Rundgang durch die Stadt: Wir beginnen unseren Rundgang durch die Stadt an der alten **Stadtmauer** in der Wiener Straße. Hier war bis 1874 einer der vier Eingänge in das Städtchen unter dem Stift. An der Außenmauer des Hauses gegenüber finden sich **Freskenreste.** Weiter zum Rathausplatz, auf dem sich ein Brunnen mit achteckigem Steinbassin (1722) und der **Figur des hl. Koloman** befindet, bis zum Haus Nr. 10 der alten **Apotheke.** Der großangelegte Bau folgt im Knick dem Straßenzug und ist im Kern aus dem 16. Jh. Das Erdgeschoß ist barock bebändert, die noch erhaltenen Anlagenöffnungen zeigen bemalte Holzläden. Das schön gefaßte Steinportal und die tonnengewölbte Einfahrt führt in den malerischen Hof; seitlich eingemauerte, spätrömische Steinreliefs. Haus Nr. 11 ist das **Rathaus** mit dem Stadtwappen, ein massiger Altbau von 1575 mit spätbarock gegliederter Fassade. Von hier gehen wir durch die älteste Gasse Melks, die Sternengasse, vorbei an einem **Freskenhaus** zur ehemaligen **Stiftstaverne,** 1736 erbaut von Franz Munggenast. Kurz vor der Kremser Straße sehen wir in einem Seitenweg ein Stück ältestes Melk, das **„Haus am Stein"** mit seinem uralten unter Naturschutz stehenden Weinstock. Der schönste Profanbau aber ist das **alte Posthaus** in der Linzer Straße, um 1790 von Josef von Fürnberg erbaut. Es ist ein frühklassizistischer Bau. Die Fassade zieren eingelassene Relieftafeln aus Stuck. Neben dem linken Eingangstor ist ein breiter Steindiwan mit Löwenpranken und Quastengehängen. Beim Weitergehen in Richtung Hauptplatz kommen wir zum **Pfarrhof,** einem Barockbau mit sehr eigenwilliger Fassadengliederung und erbaut von Matthias Gerl. Dem Eingang gegenüber steht das überlebensgroße **Standbild des hl. Nepomuk,** dem Brückenheiligen (1736). Hier war früher eine Straßenbrücke. Rechts vorn sehen wir nun die **Stadtpfarrkirche Mariä Himmelfahrt,** eine große spätgotische Staffelkirche aus dem 15. Jh., die leider 1868 glatt fassadiert wurde. Der barockisierte Innenraum wurde um 1900 regotisiert, nur die Raumwirkung ist noch einheitlich, und die raumgreifende Wirkung der vielteiligen Netzrippengewölbe im Chor ist bemerkenswert. Die Einrichtung (Hauptaltar, zwei Seitenaltäre, Kanzel, Taufbecken, Gestühl und Orgel) ist neugotisch. Die überdachte Kirchgasse führt uns wieder zur Hauptstraße, wo eine Gedenktafel an den Komponisten Anton Bruckner erinnert.

MISTELBACH G 2

Höhe: 220 m ü. d. M. — Einwohner: 10 251. — Postleitzahl: A-2130. — Telefonvorwahl: 0 25 72. — Auskunft: Stadtamt Mistelbach, Tel.: 25 15.

Mittelpunkt des östlichen Weinviertels ist Mistelbach.

Geschichte: Mitte des 11. Jhs. wurde der Ort gegründet. Die Pfarre Mistelbach gehört zu den 13 Großpfarren in Niederösterreich, die 1135 erstmals urkundlich erwähnt werden. Daher war Mistelbach schon von alters her kirchlicher und auch politischer Mittelpunkt. 1372 erhielt der Ort das erste Jahrmarktsprivileg, die vier Jahrmärkte werden noch heute abgehalten. Am 5. Juni 1874 wurde Mistelbach zur Stadt erhoben.

Nach der Erhebung zum Markt erhielt der Ort einen großen, planvollen rechteckigen Platz, wo noch heute charaktervolle **Zwerchhöfe und Weinbauernhäuser** zu finden sind. Erwähnenswert ist die **Dreifaltigkeitssäule** von 1680. Stattlich erhöht steht die **Pfarrkirche St. Martin,** zu der ein schöner **Kreuzweg** mit bemerkenswerten Figuren (um 1680) hinaufführt. Die Kirche ist ein gotischer Hallenbau mit schönem gotischen Chor und barocker Ausstattung. Die **ehem. Probstei** ist heute Pfarrhof. Der stattliche Bau entstand 1691—1700. Im Inneren gibt es bemerkenswerte Deckengemälde, vor allem im Bibliothekszimmer, von Anton Maulbertsch (1760). Sehr sehenswert ist der romanische Rundbau des **Karners**. Erhalten ist ein bedeutendes romanisches Tor, das im Bogenfeld künstlerisch wertvolle Reliefs (um 1200) enthält. In der Nähe des Stadtplatzes steht das **Schlössel**, ein stattlicher Barockbau mit reizvollem Hof (1725), in den ein barockes Tor führt.

MÖDLING G 5

Höhe: 246 m ü. d. M. — Einwohner: 19 400. — Postleitzahl: A-2340. — Telefonvorwahl: 0 22 36. — Auskunft: Fremdenverkehrsinformation der Stadt Mödling, Rathaus, Tel. 67 27.

Mödling ist eine Stadt zum Entdecken. Neben Rathaus, Spitalkirche, Wehrkirche und Karner hat die ehrwürdige Babenbergerstadt noch zahlreiche andere Baudenkmäler. Nicht nur im Stadtzentrum, sondern auch in kleinen Seitengassen kann man bei Entdeckungsreisen manche versteckte Kostbarkeit finden.

Geschichte: Die im Jahre 1343 zum Markt und 1875 zur Stadt erhobene Gemeinde findet man schon im 10. Jh. als „Medelikka" erstmals urkundlich erwähnt. Viele berühmte Künstler verweilten gern in diesem Gebiet: Walther von der Vogelweide, Franz Grillparzer, Ferdinand Raimund, Josef Weinheber, Theodor Csokor, Anton Wildgans, Egon Schiele, aber auch Beethoven, Wagner, Wolf, Webern und Schönberg verbrachten in Mödling die Sommermonate.

Auf dem Turm des in der Renaissance erbauten **Rathauses** finden wir die Jahreszahl 1548. Der Turmhelm stammt aus der ersten Hälfte des 18. Jhs. Die **Pfarrkirche St. Othmar** (urkundlich 1113) ist eine ehemalige Wehrkirche in Hochlage über der Stadt. Sie ist ein sehenswerter spätgotischer Bau anstelle einer früheren Kirche. Die große, hohe Hallenkirche wurde im 18. Jh. barockisiert, hat aber noch viele bemerkenswerte gotische Teile, z. B. ein gotisches Tor mit Kreuzblumen und Fialen. Der **Karner** ist ein zierlicher, nobler romanischer Bau, der 1698 um ein barockes Geschoß erhöht wurde (Fresken aus dem 13. Jh.). Die sehenswerte **Spitalkirche** (St. Aegyd) wurde im 15. Jh. begonnen und im spätgotischen Stil fertiggestellt, im 19. Jh. stark renoviert. Im Vorraum befinden sich Ölbilder von 1541 bis 1594. Das sogenannte **Thonet-Schlössel,** ein ehem. Kapuzinerkloster um 1740, ist heute **Museum** und zeigt urgeschichtliche Funde vom Kalenderberg, gotische Fresken und ein Beethovenzimmer. Ludwig van Beethoven komponierte in Mödling seine „Missa solemis" und die berühmten „Mödlinger Tänze", Arnold Schönberg schuf hier die Grundlagen zur Zwölftonmu-

Schloß Liechtenstein über Mödling (1820–22)

sik. An beide erinnern kulturgeschichtlich wertvolle Häuser mit Gedenkräumen. Die Ruine der **Burg Mödling** (11. Jh.) wurde 1812 durch den Fürsten von Liechtenstein teilweise restauriert, ist aber wieder verfallen. Hier erinnert eine Gedenktafel an Walther von der Vogelweide. **Pfefferbüchsl** (1818) und **Schwarzer Turm** (1810) sind künstliche Ruinen. Ein Spaziergang führt auf den **kleinen Anninger** mit dem **Husarentempel** (1831), eine Nachbildung eines dorischen Tempels, in dessen Krypta sieben Husaren liegen, die in der Schlacht bei Asparn (1809) für Fürst Johann I. v. Liechtenstein gefallen sind.

NEUNKIRCHEN F 6

Höhe: 368 m ü. d. M. — Einwohner: 11 000. — Postleitzahl: A-2620. — Telefonvorwahl: 0 26 35. — Auskunft: Stadtgem. Neunkirchen, Hauptplatz 1, Tel.: 25 31.

Am Rande des Steinfeldes liegt eingebettet zwischen den sanften Hügeln der „Buckligen Welt" und den Kalksteingebirgen Schneeberg und Rax der Bezirk Neunkirchen, dessen Mittelpunkt die gleichnamige Stadt ist.

Geschichte: Schon im frühen Mittelalter (urkundl. 1094) entstand hier an einer alten Verkehrsverbindung eine bedeutende Sieclung mit einer großen Pfarrkirche. Aus der Bezeichung „bei den nuiwen kirchen" wurde dann „Neuenkirchen" und später „Neunkirchen". 1136 erhielt der Ort das Markt- und Münzrecht. Als 1194 aber Wiener Neustadt gegründet wurde, mußte Neunkirchen diese Rechte an die neue Nachbarstadt abtreten. Im 13. Jh. wird Neunkirchen im Werk des Minnesängers Ulrich von Liechtenstein erwähnt, der einige seiner berühmten Turniere hier abhielt. 1631 wurde das Minoritenkloster von einem Grafen Hoyos gegründet. Eine Brandkatastrophe zerstörte 1752 fast den ganzen Ort außer Kirche und Kloster. Im 18. Jh. hatte die Bevölkerung schwer unter Pest- und Choleraepedemien zu leiden. Im Jahre 1920 wurde Neunkirchen zur Stadt erhoben.

Mittelpunkt der alten Stadt ist die **Stadtpfarrkirche Mariä Himmelfahrt.** Die Kirche wurde mehrmals von den Türken zerstört. Die Befestigung der Anlage stammt von 1548. Die gotische Kirche enthält eine bemerkenswerte Rokokoeinrichtung und die Grabdenkmäler der Grafen Hoyos. Am **Hauptplatz** stehen noch viele bemerkenswerte Häuser aus Renaissance und Barock, darunter eines mit schöner Sgraffito-Fassade. Aus dem Jahre 1724 stammt die kunstvoll gearbeitete **Dreifaltigkeitssäule.** Sehenswert ist auch das **Heimatmuseum** in der Dr.-Stockhammer-Gasse 13. Es ist geöffnet am 1. und 3. So. im Monat von 10 – 12 Uhr; zusätzlich 1. April bis 31. Okt., Mi. 16 – 18 Uhr und Do. 10 – 12 Uhr. Der ausgedehnte **Stadtpark** hat einen schönen Bestand an exotischen Bäumen und Sträuchern.

Ca. 8 km südöstlich von Neunkirchen liegt **Seebenstein** mit seiner stattlichen **Burg.** Sie war die bedeutendste Burg des Pittentales (im 11. Jh. im Besitz der Grafen v. Formbach und Pitten). Von 1790 – 1823 war das Hochschloß der Sitz der Wildensteiner Ritterschaft auf blauer Erde. Im Burghof ein Brunnen mit Schmiedeeisenarbeiten, in der Burg reiche Sammlungen (u. a. eine thronende Muttergottes von T. Riemenschneider); geöffnet April bis November, tägl. Führungen. Das **Neue Schloß** in einem großen Englischen Garten wurde 1733 erbaut und

Burg Seebenstein

nach 1945 teilweise abgetragen. Die **Pfarrkirche St. Andreas,** um 1290 erbaut, wurde im 19. Jh. stilvoll restauriert. Sehenswert sind das Westtor, 16 Grabsteine der ehem. Schloßherren Königsberg, Holzschnitzereien und vergoldete Reliefs aus dem 15. Jh.

ORTH an der Donau H 4

Höhe: 149 m ü. d. M. — Einwohner: 1650. — Postleitzahl: A-2304. — Telefonvorwahl: 0 22 12. — Auskunft: Marktgemeinde Orth, Tel.: 2 08.

Das Schloß Orth bildet einen der markantesten Punkte des Marchfeldes. Bekannt ist Orth für seine Fischspezialitäten.

Geschichte: Erstmals erwähnt wird Orth am 1. Jänner 865, als der Erzbischof von Salzburg zu Ortaha eine Kirche dem Erzengel Michael weihte. 1362 wird Orth erstmals als Markt angesprochen.

Die mächtige Anlage des **Schlosses** mit den vier wuchtigen Türmen zeigt Parallelen zur Wiener Hofburg. Drei gewaltige Bautrakte umschließen den Burghof, zum Süden hin schloß einst eine Wehrmauer das Geviert ab, hier ist heute offen. Das Schloß beherbergt ein **Heimatmuseum** mit reichen Funden aus der jüngeren Steinzeit bis zur Gegenwart. Ebenfalls hier untergebracht sind das bekannte **Fischereimuseum** und ein **Museum für Bienenzucht.** Geöffnet sind die Museen vom 1. März bis 15. November tägl. a. Montag, 9 — 12 und 13 — 17 Uhr, Sa./So. von 9 — 17 Uhr. Sehenswert im Markt sind die **Frauensäule** von 1711 und der **Pranger** bei der landwirtschaftl. Berufsschule. Die **Pfarrkirche St. Michael** entstand um 1148, der Chor 1517. Langhaus und Chor wurden 1690 umgebaut. Der Hochaltar stammt von 1780, zwei Seitenaltäre um 1740, und die Kanzel wurde um 1690 errichtet.

PERCHTOLDSDORF FG 4

Höhe: 265 m ü. d. M. — Einwohner: 13 600. — Postleitzahl: A-2380. — Telefonvorwahl: 02 22. — Auskunft: Gemeindeamt Perchtolsdorf, Kultur- und Fremdenverkehrsreferat, Marktplatz 11, Tel.: 86 76 34/34 DW.

Der im Volksmund „Petersdorf" genannte Markt Perchtoldsdorf ist ein beliebtes Ausflugsziel 15 km vom Wiener Stadtzentrum am Ostabhang der Wienerwaldausläufer.

Geschichte: Urkundlich erscheint erstmals im Jahre 1135 ein Herr von Perchtoldsdorf. 1308 erste Erwähnung als Markt. Seit 1415 besaß Perchtoldsdorf „ein völliges und ganz Gericht zu Berchtoldsdorf und zu Rodaun was den tod berürt". Im Jahre 1683 richten türkische Streifscharen unter den Ortsbewohnern ein Blutbad an, der Markt wird völlig ausgeplündert und fast zur Gänze niedergebrannt. 1938 wurde Perchtoldsdorf dem 25. Stadtbezirk von Wien zugeordnet und erst 1954 wurde es wieder eine eigene Gemeinde. Heute ist der Markt besonders wegen des Weinbaus bekannt und berühmt: 170 Buschenschenken.

Die **Pfarrkirche zum heiligen Augustin** ist eine sehenswerte dreischiffige gotische Hallenkirche. Sie bildet den Mittelpunkt der hochgelegenen ehemaligen Wehranlage. Das dreischiffige Langhaus (15. Jh.) wird von einem Sternrippengewölbe gedeckt, die netzrippengewölbte Orgelempore weist eine schöne Maßwerkbrüstung auf. Bemerkenswert sind weiter: hohe Maßwerkfenster, schöne gotische Tore (im Süden mit netzrippengewölbter Vorhalle), drei Barockaltäre und mehrere Grabsteine (15./16. Jh.). Zur Wehranlage gehörte auch die **ehem. Herzogsburg** hinter der Kirche (14. Jh.). Sie wurde stilgerecht restauriert und dient heute als Kulturzentrum. An der Burg sind auch noch Reste der mittelalterlichen Befestigungsmauer zu sehen. Mit der Burg verbunden ist die **St.-Martins-Kapelle,** der spätgotische Karner, der heute als Kriegergedächtnisstätte dient. Ein bemerkenswertes Beispiel eines in die Wehrmauer eingebundenen freistehenden Wachtturmes

Perchtoldsdorf

(15. Jh.) ist der **Turm.** Er zählt zu den schönsten und besterhaltensten im deutschen Kulturraum. Mit seinen vier Ecktürmchen und dem markanten Walmdach ist er das Wahrzeichen der ganzen Gegend. Die Einrichtung der um 1400 erbauten **Spitalkirche** ist neugotisch. Am **Marktplatz** steht das **Rathaus** (15. Jh., 1974 enoviert) mit einem schönen Hof und dem **Osmanenmuseum.** Mittelpunkt des Marktplatzes ist die **Pestsäule** von 1713 mit bemerkenswertem Sockelrelief, das Joh. Bernh. Fischer von Erlach zugeschrieben wird. Im Ort gibt es noch viele bemerkenswerte **Barock- und Renaissancebürgerhäuser.**

PERSENBEUG – GOTTSDORF C 4

Höhe: 222 m ü. d. M. — Einwohner: 1929. — Postleitzahl: A-3680. — Telefonvorwahl: 0 74 12. — Auskunft: Gemeindeamt Persenbeug, Tel.: 22 06.

Der Ort schmiegt sich langgezogen am Ufer der Donau hin, überragt vom Schloß, seinem Wahrzeichen. Hier war die Geburtsstätte Karl I., des letzten österreichischen Kaisers, und das Schloß ist heute noch Privatbesitz der Habsburger und nicht zu besichtigen.

Geschichte: Erstmals urkundlich erwähnt wurde Persenbeug im Jahre 863 als deutsche Ansiedlung. Seit 970 ist es Marktgemeinde und 1567 verlieh Kaiser Maximilian II. dem Ort das Marktwappen. Unter dem Schiffmeister Matthias Feldmüller ist Persenbeug der bedeutendste Schiffsbauplatz an der niederösterreichischen Donau gewesen.

Die **Pfarrkirche St. Florian und Maximilian** ist besonders wegen ihres gotischen Chores (1515) mit schlanken Strebepfeilern und hohen Maßwerkfenstern sehenswert. Der Raum wird von einem Netzrippengewölbe mit Wappenkonsolen überspannt. Der Hauptaltar aus rotem und grauem Marmor stammt aus der Kartause Gaming (um 1700). Zu erwähnen ist ferner die Rokokokanzel, die Statue des hl. Florian (um 1760) am Triumphbogen, eine thronende Muttergottes (um 1530), ein Ecce Homo (um 1450) und eine hl. Katharina (um 1430). In der Mitte des Kirchplatzes (Rathausplatz) steht eine angeblich um 1300 gepflanzte riesige Linde. Das **Rathaus,** im 17. Jh. als Bräuhaus genannt, ist schön proportioniert mit Walmdach und schmiedeeisernen Fensterkörben. Sehenswert ist der Ratssaal mit schöner Decke, einem großen Ofen mit Reliefdarstellungen der Türkenbelagerungen von Wien und Budapest und zwei Gemälden aus der Kremser-Schmidt-Schule. Hier befindet sich auch das **Heimatmuseum Persenbeug-Gottsdorf.** Das **große Schiffmeisterhaus** (Hauptstraße 8) unweit des Rathauses (mehrfach gestufte Hauptfront, neu renoviert), war Wohnsitz des berühmten „Admiral der Donau", Schiffmeister Matthias Feldmüller. Das alte **Schiffmeisterhaus** (1487) steht unter Denkmalschutz. Seit 1963 wurden Renaissance-Sgraffiti und eine schwarz-weiße Bebänderung (um 1550) freigelegt und ergänzt (Schloßstr. 2). Von der Staumauer des Kraftwerkes hat man den besten Blick auf die imposante **Schloßanlage.** Auf gewachsenem Felsen steht hinter einem gedrungenen Wohntrakt der Turm mit Zwiebelhelm. Westwärts verläuft parallel zur Staumauer ein weiterer Wohnbau, welchen der Chor der sonst in den

Schloßbau einbezogenen Kapelle überragt. Vor dem Schloß steht die überlebensgroße **barocke Figur** eines hl. Nepomuk (1737). Weitere bemerkenswerte Bauwerke sind **Haus Schloßstraße 6** (Erker, 1550), **Haus Hauptstraße 6** (Erker 1600), **Schwedenkreuz** (nördl. Schloß), die **Steinsäule** aus dem 17. Jh., ein **hl. Felix** am Marktplatz (1713). Eine **moderne Pfarrkirche** (1985) mit sehr ansprechendem Interieur befindet sich östl. des Ortskernes von Persenbeug.

Gottsdorf gehört zur Marktgemeinde Persenbeug-Gottsdorf. An der **Pfarrkirche St. Peter und Paul** sind sämtliche Stilelemente zu einer Einheit zusammengewachsen. Das spätromanische Mittelschiff hat ein prächtiges spätgotisches Netzgewölbe, der Chor (1480) hat zierliche Kreuzrippen und die Seitenschiffe barocke Tonnengewölbe. Auch der Turm ist eine Mischung aus Romantik – Gotik – Barock mit seinem schönen Zwiebelturm, dem Wahrzeichen von Gottsdorf.

PETRONELL-CARNUNTUM HI 4

Höhe: 175 m ü. d. M. — Einwohner: 1300. — Postleitzahl: A-2404. — Telefonvorwahl: 0 21 63. — Auskunft: Gemeindeamt Petronell-Carnuntum Nr. 57, Tel.: 22 28.

Petronell-Carnuntum ist ein Ort, der sich besonders kulturinteressierten Gästen anbietet. Direkt im Ort befinden sich die größen Ausgrabungen der Römerzeit Mitteleuropas.

Geschichte: Die Marktgemeinde liegt am östlichen Rande der einstigen römischen Zivilstadt Carnuntum. Es bestand aber auch schon eine vorrömische Siedlung hier an der Bernsteinstraße. 1142 wurde der Ort zum Markt erhoben und ist durch Ausbau zu einem blühenden Marktflecken erwachsen, der 1958 sein 900jähriges Bestehen feierte.

Das **Freilichtmuseum der Zivilstadt Carnuntum** zeigt die Fundamente von Geschäftshäusern, Mosaiken und Kanalisation, Gartenanlagen und Arkadengänge im Gebiet an der heutigen Bundesstraße. In der sogenannten „Palastruine" (2. Jh.) findet man große Bäder- und Heizungsanlagen in den Thermen. Das **zivile Amphitheater** mit einem Fassungsvermögen von 13 000 Personen und das **Heidentor** sind weitere mächtige Zeugen einer großen römischen Vergangenheit. Am Wege nach Bad Deutsch-Altenburg an der Donau entlang erreicht man die Reste des rechten **Lagertorturms,** der Porta principalis dextra. Vor dem Legionslager liegt in einer Mulde das **militärische Amphitheater** mit ca. 7000 Personen Fassungsraum. Von hier aus geht der Blick zum Steinbruch am Pfaffenberg, der einst von einer mächtigen Tempelanlage gekrönt wurde. Vergessen Sie nicht, als Ergänzung das **Museum Carnuntinum in Bad Deutsch-Altenburg** zu besuchen. Die **Pfarrkirche St. Petronilla** (urkundl. 1125) ist ein um 1200 entstandener romanischer Bau mit regelmäßigem Quaderwerk und geradem Chor. Ausstattung größtenteils Barock, schöner Rokokotabernakel. Die **Rund-Kapelle** aus dem 12. Jh. ist einer der wertvollsten romanischen Rundbauten Österreichs. Das romanische Stufentor enthält im Bogenfeld die Darstellung der Taufe Christi. Die von Mauern umgebene Kapelle war

Petronell-Carnuntum, Heidentor

wahrscheinlich früher eine Wehrkirche. Das **Schloß,** ein bedeutender Bau des 17. Jhs. (Baumeister Domenico Carlone), war ursprünglich ein Wasserschloß. Es hat eine prunkvolle Freitreppe mit krönendem Mittelturm und eine sehr schöne gegliederte Außenfront. Die Kapelle enthält kunstvolle Stuckarbeiten und einen bemerkenswerten Hochaltar (1726). Sehenswert sind auch mehrere mit Malereien geschmückte Säle („Sala terrena", großer Festsaal).

MARKT PIESTING – DREISTETTEN F 5–6

Höhe: 374 m ü. d. M. — Einwohner: 2300. — Postleitzahl: A-2753. — Telefonvorwahl: 0 26 33. — Auskunft: Gemeindeamt Markt Piesting, Marktplatz 1, Tel.: 22 41.

Der gastfreundliche Markt liegt am Eingang des romantischen Piestingtales und am Fuße der attraktiven Hohen Wand.
Die **Burgruine Starhemberg** wurde Mitte des 12. Jhs. vermutlich von Ottokar III. von Steiermark erbaut. Ab 1192 war die Burg babenbergisch, Stützpunkt Friedrichs II. Nach 1800 verfiel die Burg und nach Kämpfen 1945 wurde sie noch einmal beschädigt. Es haben sich aber trotz allem beachtliche und sehr sehenswerte Reste erhalten. Am Fuße

Nibelungenstadt Pöchlarn an der Donau

des Burgberges steht ein **Meierhof** mit Renaissancewappen. In Dreistetten sollte man einen Besuch im **Heimatmuseum** nicht versäumen. Auch die bizarren Naturschönheiten der „**Einhorn-Tropfsteinhöhle**" sollte man sich nicht entgehen lassen. Ein Abstecher zum **Naturpark Hohe Wand** mit Aussichtsturm und Wildgehege ist zu empfehlen. Das Altarbild in der **Pfarrkirche von Piesting** sowie ein Gedenkstein im Schulpark erinnern daran, daß hier im Jahr 1796 der Historienmaler Leopold Kupelwieser geboren wurde.

6 km nördlich liegt **Hernstein** mit seinem **Schloß.** Es wurde 1856 durch Umbau eines älteren Baues geschaffen. Die Innenausstattung ist in verschiedenen Stilarten gehalten. Hinter dem Schloß befinden sich die **Burgruine** (12. Jh.) und ein quadratischer romanischer Wehrturm (Reste). Im Park gibt es einen **römischen Grabstein** aus dem 1. Jh. nach Chr. Die **Pfarrkirche St. Lorenz** wurde 1725 umgebaut, im Chor noch Kreuzrippengewölbe.

PÖCHLARN C 4

Höhe: 216 m ü. d. M. — Einwohner: 3800. — Postleitzahl: A-3380. — Telefonvorwahl: 0 27 57. — Auskunft: Stadtgemeinde Pöchlarn, Tel.: 3 00 oder 3 10.

Die alte Nibelungenstadt Pöchlarn, gegenüber von Maria Taferl, liegt am Südufer der Donau. Ihre Gastfreundschaft hat alte Tradition, sie wurde schon im Nibelungenlied besungen. Wasserwandern durch den Nibelungengau, Wanderwege in die Erlauf- und Donauauen bieten reizvolle Möglichkeiten der Erholung.

Geschichte: Der Römerort Arelape war bereits ein bedeutendes Kastell im Verlauf des Limes. Erstmals urkundlich erwähnt 1130, Stadt seit 1267. Bis 1803 Regensburger Besitz. Die Castrumlage ist noch im Kern der Siedlung erhalten. Der Sage nach soll Pöchlarn der Sitz Rüdigers von Bechelaren gewesen sein, der hier die Burgunderkönige auf ihrer Fahrt zum Hunnenkönig Etzel aufnahm und bewirtete.

Die große **Pfarrkirche Mariä Himmelfahrt** ist ein imposanter Bau. Ein kubisch aufgebautes, im Kern gotisches Langhaus, vorgestellter barockisierter Westturm, spätgotischer Sakristeianbau und ein hochgotischer Chorteil mit Strebepfeilern und schlankem Maßwerk bieten ein interessantes Bild. Am Langhaus sind bemerkswerte Grabplatten, Gedenksteine und römische Steinrefliefs eingelassen. Die frühklassizistischen Seitenaltäre zeigen schöne Bilder, Kanzel und Bänke Ende 17. Jh. In der Turmdurchfahrt ist ein Ölbergrelief um 1430 besonders bemerkenswert. Südlich der Kirche befindet sich eine freistehende Kapelle, der ursprüngliche, vor 1429 erbaute **Karner.** Der anschließende **Pfarrhof** enthält einen Baurest aus dem 15. Jh. und im Inneren schön gewölbte Räume (17. Jh.). Daneben befindet sich der Zugang zum **Schloß,** das von einem schönen Park und dem ehemaligen Wassergraben umgeben ist (ehemaliges Wasserschloß). Am **Wolfgangbrunnen** vorbei, kommt man, durch die Hauptstraße weitergehend, zum **Welserturm** (1484). Er steht unmittelbar an der Donaulände, am nordwestlichen Ausgang der Stadt und ragt massig empor. Hier legten einst Welser Kaufleute mit ihren Schiffen an. Der Turm enthält das **Pöchlarner Heimatmuseum** mit zahlreichen, zum Teil sehr beachtlichen prähistorischen und vor allem römischen Fundstücken aus Pöchlarn und Umgebung. Vom Turmplateau aus hat man einen sehr schönen Blick über die Donau auf Maria Taferl und die Donaulände von Pöchlarn.

Pöchlarn ist die **Geburtsstadt Oskar Kokoschkas.** Die Kokoschka-Ausstellung in seinem Geburtshaus ist ganzjährig geöffnet. Franz Knapp, der „malende Fährmann", ist ein Schüler Kokoschkas.

PÖGGSTALL C 4

Höhe: 462 m ü. d. M. — Einwohner: 3000. — Postleitzahl: A-3650. — Telefonvorwahl: 0 27 58. — Auskunft: Gemeindeamt Pöggstall, Tel.: 23 83.

Pöggstall im Waldviertel ist ein Geheimtip für Menschen, die dem Streß und Lärm der Großstadt entfliehen wollen. Das milde Klima hat dem Ort den klingenden Namen „Meran des Waldviertels" gegeben.

Geschichte: 1118 wurde der Ort als Pehstahl erstmals urkundlich erwähnt. Durch das Kloster Kremsmünster wurde die St.-Anna-Kirche 1140 geweiht. 1407 erhielt Pöggstall Marktrechte verliehen.

Die **Pfarr- und Schloßkirche St. Anna** (1480, neugot. Turm 1810) birgt im Inneren Werke höchster Qualität. Der Hochaltar ist ein Meisterwerk aus der Zeit um 1500 mit herrlichen geschnitzten Figuren. Auch die neugotischen Seitenaltäre enthalten wertvolle Plastiken (um 1500). Schöne Barockfiguren unter der mit Maßwerkschnitzerei verzierten Empore, bemerkenswerte Anna-Selbdritt-Gruppe (1480), Chorgestühl mit schönen Schnitzereien (1492) und Kreuzwegstationen aus der Kremser-Schmidt-Schule. Mitten im Ort liegt die **Burg Rogendorf,** ein bedeutender Wehrbau aus dem 16. Jh. Zu den Sehenswürdigkeiten zählt hier die Barbakane, ein mächtiger Verteidigungsrundbau nach einem Entwurf Albrecht Dürers. Im Bergfried ist die vollständig erhaltene Folterkammer zu besichtigen. Außerdem ist im Schloß das Heimatmuseum untergebracht. Besichtigung: 1. März – 30. November, tägl. 9 – 12 und 14 – 16.30 Uhr. In der Kirche **St. Anna im Felde** sind besonders die prächtigen Grabsteine sehenswert. Der Chor der Kirche entstand um 1330, das Langhaus Ende des 15. Jhs. Freskenreste an den Innen- und Außenwänden.

Die **Jugendburg Streitwiesen** im malerischen Weitental wird seit 1974 mustergültig restauriert. Die Burg war die Stammburg der 1144 erstmals erwähnten Streitwieser. Ein nahes Ausflugsziel ist **Würnsdorf** am Eingang zum wildromantischen **Hölltal.**

Neukirchen am Ostrong ist ein idyllischer Erholungsort mit einer sehenswerten alten Kirche (1357 erwähnt), die seit 1750 auch als Wallfahrtskirche bekannt ist. Im Chor Fresken (um 1400), ein spätgotischer Schrein mit Figuren, Reste erstklassiger Glasmalerei (1480).

PULKAU E 2

Höhe: 291 m ü. d. M. — Einwohner: 1700. — Postleitzahl: A-3741. — Telefonvorwahl: 0 29 46. — Auskunft: Stadtamt Pulkau, Tel.: 2 76.

Die Stadt Pulkau ist ein romantischer Weinort im westlichen Weinviertel mit stattlichen Bürgerhäusern und einem kunstgeschichtlichen Kleinod.

Geschichte: 1055 wird der Name das erste Mal urkundlich genannt. 1308 wurde Pulkau Markt und 1437 erhielt es durch Herzog Albrecht V. ein Marktwappen. Dieses zeigt zwei zueinander geneigte Weinkrüge, was die Bedeutung des Weinbaues für den Ort hervorhebt. Im Jahre 1985 wurde Pulkau das Stadtrecht verliehen.

Auf einem Hügel über der Stadt liegt die **Pfarrkirche St. Michael,** eine dreischiffige Basilika. Aus der Romanik haben sich noch vier Fenster an der Südseite, Säulen in der Sakristei und Halbsäulen am Choreingang erhalten. Aus der Gotik stammen die herrlichen Kapitelle in der Kreuzkapelle (1300) und die Fresken (14. Jh.). Am Hochaltar befindet sich ein barocker St. Michael, das Sakramentshäuschen stammt aus der Renaissance. Der **Karner** neben der Kirche ist ein romanisch-gotischer Bau im Übergangsstil (1255). Größter Schatz der **Heiligblutkirche** (Hostienwunder 1338) ist der herrliche Hochaltar von 1520. Der „Meister von Pulkau", Niclas Breu, schuf dieses hervorragende

Schnitzwerk. Die Schreinfiguren gehören zu den Hauptwerken der gotischen Schnitzkunst in Österreich. Die gemalten Flügel sind hervorragende Zeugnisse der Kunst der Donauschule. Kirchenführung Tel.: (0 29 46) 2 72 (die Kirche ist meist verschlossen). Sehenswert sind auch das **Rathaus** (1659) mit Turm und Freitreppe, der **Pranger** von 1542 mit Rolandsfigur und Marktwappen, der schloßartige **Pfarrhof** und die **Dreifaltigkeitssäule** (1778). Im Ort haben sich außerdem einige schöne Häuser, besonders aus der Renaissance, erhalten.

RAABS an der Thaya D 1

Höhe: 412 m ü. d. M., − Einwohner: 3800. − Postleitzahl: A-3820. − Telefonvorwahl: 0 28 46. − Auskunft: Stadtgemeinde Raabs, Tel.: 3 65 und 3 66.

Raabs, die Perle des Thayatales, ist ein romantisches Städtchen und liegt in einer Talmulde am Zusammenfluß der deutschen und der mährischen Thaya.

Geschichte: Bereits im 12. Jh. wurde Raabs an der Thaya als Markt erwähnt. Bald wurde der Ort Sitz eines Grafengeschlechts. Bis vor einigen Jahrzehnten waren die Raabser Viehmärkte weithin bekannt. 1926 wurde Raabs zur Stadt erhoben. Die **Burg Raabs** ist die wesentlichste unter den Thayaburgen. Burg

Burg Raabs an der Thaya

und Pfarrkirche liegen im Ortsteil Oberndorf. Man betritt die Burg über eine steinerne Brücke, die über den Burggraben führt. Am Hungerturm und dem fünfseitigen Bergfried vorbei kommt man durch die Tordurchfahrt in den Burghof. Im folgenden innersten Burghof befindet sich der 70 m tiefe Burgbrunnen. In einigen Räumen haben sich bei der Restaurierung alte Fresken gefunden, besonders im Rittersaal. Vom Söller über der Kapelle ganz im Osten hat man eine herrliche Aussicht. In den Schloßräumen ist ein **Märchenmuseum** untergebracht. Öffnungszeiten der Burg: Mai bis Oktober (Mo.−Do. von 7−12 und 13−16.30 Uhr, Fr. nur bis 14.30 Uhr; Sa., So., Feiertage: 9−12 und 13−17 Uhr). Die **Pfarrkirche Mariä Himmelfahrt am Berg** ist eine dreischiffige gotische Staffelkirche mit romanischem Kern. Klassizistische Ausstattung. Die **Allerheiligenkirche** (1511) war lange profaniert, wurde aber 1971 neu geweiht. Bemerkenswert ist die spätgotische Rankenmalerei mit Wappen. In der Stadt haben sich beachtliche Reste der **Befestigung** entlang der Thaya erhalten. Das **Grenzlandmuseum** ist Mo.−Fr. von 9−12 und 13−17 Uhr geöffnet und Sa. von 9−12 Uhr.

Die nahe **Burgruine Kollmitzgraben** ist eine der ausgedehntesten Burgruinen Österreichs. Urkundlich 1297 erwähnt verfiel sie seit dem 17. Jh. Es haben sich aber sehr sehenswerte und umfangreiche Reste erhalten.

10 km südwestl. liegt **Groß-Siegharts.** Hier sollte man sich den stattlichen Barockbau der Pfarrkirche St. Johannes Bapt. ansehen. Bemerkenswert ist eine Muttergottes aus Holz (1440). Das Schloß ist ein Vierflügelbau des 16. Jhs.

RAPOTTENSTEIN C 3

Höhe: 671 m ü. d. M. − Einwohner: 1950. − Postleitzahl: A-3911. − Telefonvorwahl: 0 28 28. − Auskunft: Gemeindeamt Rapottenstein, Tel.: 2 40.

Rapottenstein liegt an der Kuenringer Kulturstraße im Waldviertel.

Geschichte: Die Marktgemeinde Rapottenstein wurde im 12. Jh. von den Kuenringern, den Besitzern der Burg, gegründet. Die mächtige Burg, urkundlich 1157/1176 genannt, hielt sämtlichen Belagerungen durch kaiserliche Truppen, Bauernheere und Schweden stand.

Die **Pfarrkirche St. Peter und Paul** stammt aus dem 12. Jh. Aus romanischer Zeit haben sich die Langhauswände, die Westwand und das Turmquadrat erhalten. 1450 wurde die Kirche in eine gotische Staffelkirche mit zierlichem Netzrippengewölbe umgebaut. Im rechten Seitenschiff haben sich Reste von Fresken aus dem 16. Jh. erhalten. Am Marktplatz steht der **Pranger** aus der Renaissance (1613).

Auf den Felsen südlich der Marktgemeinde liegt die mächtige **Burg Rapottenstein.** Durch ein Tor (ehem. Zugbrücke) kommt man in den ersten Hof mit Bräuhaus. Durch das zweite Tor (Fallgitteranlage) gelangt man in den zweiten Hof, den Richthof. Im dritten Hof liegt das Burgverließ. Auf der rechten Seite blickt man zum Uhrturm im Burggarten. Durch das vierte Tor erreicht man die Schmiede. Vom fünften

Hof (Wehrgang) kommt man dann in den eigentlichen Burghof. Ihn schmücken dreigeschossige Renaissancearkaden mit Wellenband- und Schraffen-Sgraffiti und Scheinquaderung. Unten befindet sich eine offene Halle mit Kreuzrippengewölbe, die „Knappenküche" genannt wird. Im ersten Stock, im fünfeckigen Bergfried aus romanischer Zeit, befindet sich die zweigeschossige Kapelle St. Pankraz. Sie stammt aus dem Jahre 1378 und ist mit verschiedenen Fresken geschmückt. Der Archivraum hat ein schönes Sternrippengewölbe und den Speisesaal schmückt reicher ornamentaler und figuraler Freskenschmuck aus dem 16. Jh.

Zur Großgemeinde Rapottenstein gehört auch **Kirchbach**, 3 km nordwestl. gelegen, 1288 erstmals urkundlich erwähnt. Sehenswert ist hier die **Pfarrkirche St. Michael**, deren Bau bis ins 12. und 13. Jh. zurückreicht. Im 15. Jh. wurde dem romanischen Bau ein gotisches Langhaus angefügt. Bemerkenswert ist ein figuraler Grabstein an der Südseite außen (14. Jh.).

Im 12 km südwestlich gelgenen **Arbesbach** ist die Burgruine, genannt der „Stockzahn des Waldviertels", sehenswert. Der fünfseitige Bergfried (herrliche Aussicht) ist besteigbar.

RASTENFELD D 2

Höhe: 570 m ü. d. M. — Einwohner: 1400. — Postleitzahl: A-3532. — Telefonvorwahl: 0 28 26. — Auskunft: Marktgemeinde Rastenfeld, Tel.: 2 89.

Herz der reichhaltigen landschaftlichen Angebotspalette von Rastenfeld ist der große Stausee Ottenstein. Sehen lassen können sich auch die Zeugen aus der bewegten Vergangenheit.

Die **Pfarrkirche Mariä Himmelfahrt** ist eine dreischiffige romanische Pfeilerbasilika, deren Mittelschiff spätgotisch gewölbt ist. Die Rippen des Gewölbes des gotischen Chores (um 1400) ruhen auf Gesichtsmasken. An der Nordseite wurde ein Fresko aus dem 15. Jh. freigelegt. Der barocke Hochaltar birgt ein Gemälde von Maulpertsch. Neben der Kirche steht ein **steinernes Getreidemaß** (Metzen) von 1300. Am Marktplatz mit schönen Häusern steht der **Pranger** (17. Jh.).

3 km südlich liegt **Burg Rastenberg**. Die mächtige Anlage wurde im 16. Jh. umgebaut. In der romanischen Kapelle befinden sich der Flügel eines gotischen Altars (um 1420) und bemerkenswerte Gemälde des 18. Jhs. Eine Besichtigung ist nicht möglich, aber der äußerliche Anblick ist sehr imposant.

Eine Burg wie aus dem Bilderbuch ist die **Burg Ottenstein**. Die Entstehung der Burg geht ins 12. Jh. zurück. Durch ein Rundbogentor gelangt man über die erste Brücke zum ersten Vorwerk (1699), über die zweite Brücke zum zweiten Vorwerk und in den äußeren Schloßhof mit Restaurant. Über die von „Lambergschen Hunden" bewachte dritte Brücke gelangt man in den inneren Schloßhof, den Bergfried und Brunnen beherrschen. Die barocke Kapelle St. Florian schuf 1680 Lorenzo Aliprandi. Größter wiederentdeckter Schatz ist die alte romani-

sche Burgkapelle. Sie wurde 1974 identifiziert und die romanische Monumentalmalerei (um 1177) freigelegt. Über Besichtigungsmöglichkeit im Restaurant erkundigen!
An der Straße nach Zwettl liegt rechts die sehenswerte **Burgruine Lichtenfels** (1136).

RETZ F 2

Höhe: 264 m ü. d. M. — Einwohner: 4400. — Postleitzahl: A-2070. — Telefonvorwahl: 0 29 42. — Auskunft: Fremdenverkehrsverein, Tel.: 23 79, Stadtamt Retz, Tel.: 22 23.

Die alte Weinstadt Retz liegt eingebettet in sonnenumflutetem Rebengelände an den Abhängen des Manhartsgebirges.

Geschichte: Erste urkundliche Nennung erfolgte um 1180. Gründung der Stadt durch Graf Berchthold von Rabenswalde (1278 – 1312), Verleihung des Stadtwappens. 1425 wurde die Stadt durch die Hussiten erstürmt und eingeäschert. Besetzung durch Matthias Corvinus (1486 – 1491), 1620 im 30jährigen Krieg Erstürmung, Besetzung durch die Schweden unter Thorstenson (1645/46), durch die Preußen unter Friedrich II. 1742. 1809 war Retz Hauptverbandsplatz bzw. Lazarett nach der Schlacht bei Schöngrabern.

Der **Hauptplatz** von Retz gilt als einer der schönsten und größten Marktplätze Österreichs. Auf dem Platz steht das stattliche **Rathaus** (Umbau 1568/69) mit seinem markanten Turm. Davor der **Pranger** von 1561 und die **Mariensäule**, eine alte Pestsäule von 1680. In der anderen Hälfte des Platzes steht die von Retzer Meistern 1744 errichtete **Dreifaltigkeitssäule.** Im Rathaus ist bemerkenswert der Ratssaal (1741) mit Bildern von M. J. Schmidt und Gottlieb Starmayer, die Herrenstühle (1737) und die spätgotische Marienkapelle mit Barockausstattung durch Retzer Meister. Prächtige Häuser umstehen den Platz. Im Süden sticht das **Sgraffitohaus** von 1576 und im Norden das zinnengekrönte **Verderberhaus** (1583) mit dem Wappen des Erbauers und dem Spruch „Alles mit der Zeit" hervor. Auf dem Platz stehen auch die beiden **Stadtbrunnen.**

Einiges ist auch noch von den **alten Festungswerken** erhalten. Die innere Stadtmauer mit dem **Nalber-** und dem **Znaimerturm** entstand um 1300. In der Südecke der inneren Stadt liegt die **Dominikanerkirche** (1295), eine der ersten dreischiffigen Hallenkirchen Österreichs. Sie entstammt der Frühgotik und wurde vom Stadtgründer Graf Berchthold von Rabenswalde gestiftet. Die barocke **Stadtpfarrkirche** (1726/28) beherbergt Bilder von Altomonte und Kupelwieser. Fenster an der Nordseite stammen noch aus der Spätromanik (1250). Der benachbarte **ehem. Stiftshof** (1698 – 1701) ist heute Volksschule. Neben dem Znaimertor steht die ehem. Bürgerspitalkapelle, die heute das **Heimatmuseum** beherbergt. Am Schloßplatz liegt **Schloß Gatterburg** (1660/80) mit einer Schloßgaststätte. Wahrzeichen der Stadt ist die einzige noch betriebsfähige **Windmühle** (1772) Österreichs.

Wichtige Veranstaltungen: Täglich Besichtigung Österreichs größten **historischen Weinkellers** — das unterirdische Retz (Treffpunkt Nord-

Die Windmühle von Retz

seite Rathaus). **Weinwoche** — ab Fronleichnam 10 Tage, **Weinlesefest** — letztes Wochenende im September.
Südlich von Retz liegt die Stadt **Schrattenthal** mit einem schönen **Schloß**. Das Barockschloß enthält eine sehr bemerkenswerte spätgotische Schloßkapelle. Die **Pfarrkirche St. Augustin** ist ein gotischer Bau, dessen Langhaus 1784 barockisiert wurde.

ROSENBURG am Kamp E 2

Höhe: 264 m ü. d. M. — Einwohner: 1070. — Postleitzahl: A-3573. — Telefonvorwahl: 0 29 82. — Auskunft: Gemeindeamt Rosenburg-Mold, Tel.: 29 17.

Im Tal des Kampes, von der gleichnamigen Burg auf steilem Felsen überragt, liegt der Ort Rosenburg.
Geschichte: Erste Erwähnung 1175, ein Goczwin von Rosenberg. Neue Befestigungen zur Zeit der Ungarnkriege. Umwandlung vom festen Wehrbau zum prunkvollen Renaissanceschloß unter den Grabnern, die von 1487 — 1604 die Herren von Rosenberg (ab 1569 Rosenburg) waren. Im 16. Jh. war Rosenburg ein Zentrum des Protestantismus („österreich. Wartburg"). Ab 1611 kath. Herren und 1620 Erstürmung der Burg durch protestantische Truppen. Vinzenz Muschinger ließ den berühmten Turnierhof anlegen, und nach dem 30jährigen Krieg

ließ Freiherr v. Windhag das Schloß zu neuer Herrlichkeit entstehen. Danach folgte der langsame Niedergang. 1809 Großbrand. Ab 1859 ließ Graf Hoyos-Sprinzenstein das heruntergekommene Schloß restaurieren und mit wertvollen antiken Ausstattungsstücken versehen.

Durch das alte Lied „Es liegt ein Schloß in Österreich, das ist gar wohl erbauet, von Silber und von rotem Gold, mit Marmelstein gemauert..." ist das prachtvolle **Schloß Rosenburg** bekannt geworden. Durch den Torturm betritt man den großen **Turnierhof** mit Lauben an drei Seiten und Nischen an der Nordseite. Linker Hand sieht man drei Türme in der Umfassungsmauer, auf der rechten Seite kann man in den ehemaigen Lust- oder Ziergarten schauen. Darin steht die Gedenksäule für 300 Tote bei der Burgerstürmung 1620. Durch ein freistehendes Triumphbogenportal kommt man dann zum zweiten Torturm mit Galerie, Wappen- und Inschriftentafel. Davor stehen zwei Säulen mit einem Ritter und einem Löwen. Anschließend betritt man den **Vorhof** mit einer Freitreppe zu den Prunkgemächern, darunter ein Muschelbrunnen. Rechts sieht man einen Torbau mit dem Schloßwarthaus und nach vorn blickend eine zweite Bildsäule mit einem Ritter. Weitergehend erblickt man rechts eine Steinbrücke und einen Treppenabgang zum tiefer gelegenen Teil des Vorhofes mit einem Wasserbecken. Durch das innere Tor betritt man dann die eigentliche mittelalterliche Burg. Man kommt zunächst in den **inneren Schloßhof.** Hier fallen der wuchtige Bergfried mit Aussichtsgalerie auf und das spätgotische Kapellenportal. In der Kapelle und im Oratorium findet man zahlreiche sakrale Kunstgegenstände. Wertvollster Raum ist die **Bibliothek** mit herrlicher Kassettendecke und ca. 4000 Bänden. Besonders zu erwähnen ist auch noch die **prähistorische Sammlung** des Freiherrn Candidus von Engelshofen († 1866). Besichtigung der Burg: Ganzjährig, vom 1. März – 30. November, 8 – 18 Uhr, sonst 9 Uhr bis zur Dämmerung.

Nahe bei Mold liegt die **Wallfahrtskirche Maria Dreieichen.** Der spätbarocke Bau wurde 1744 – 50 von Leopold Wißgrill aufgeführt. Überwältigend ist der Inneneindruck. Das Kuppelfresko ist das letzte Meisterwerk von Paul Troger, aber auch die anderen Fresken sind von hoher Qualität. Hervorragend ist die Ausstattung: Altar, Kanzel, Orgel. Die Kirche gehört ohne Zweifel zu den schönsten Wallfahrtskirchen Österreichs.

ROSSATZ D 3

Höhe: 210 m ü. d. M. — Einwohner: 1200. — Postleitzahl: A-3602. — Telefonvorwahl: 0 27 14. — Auskunft: Gemeindeamt Rossatz, Tel.: 2 17.

Rossatz ist ein schöner alter Markt am Ausgang der Wachau gegenüber Dürnstein gelegen. Zur nördlich des Dunkelsteinerwaldes gelegenen Großgemeinde gehören auch die Dörfer Ober- und Mitterarnsdorf, Rührsdorf und Rossatzbach sowie der fast 10 km entfernte Weiler St. Johann im Mauertale.

Geschichte: Im 8. Jh. von Slawen besiedelt, wird der Ort erstmals in einer Gerichtsurkunde Heinrichs von Bayern 985 erwähnt. Im 11. Jh. Eigentum der Babenberger bis ins 14. Jh. Zum Markt erhoben 1462. Viele Klöster und Stifte, auch aus dem süddeutschen Raum, besaßen in Rossatz Weingüter. Im 16. Jh. war es eine Hochburg des Protestantismus. 1679 war ein schweres Pestjahr. 1805 flüchteten Franzosen nach der Niederlage von Loiben mit Schiffen nach Rossatz.
Die **Pfarrkirche St. Jakob d. Ä. in Rossatz** ist im Kern frühgotisch (um 1320). Das dreischiffige Langhaus vereinigt Formen aus Gotik und Barock. Der gotische Chor zeigt Malereien aus der Schule des Kremser-Schmidt (um 1800). Weihwasserbecken und Opferstock stammen noch aus der Gotik. Vor der Kirche steht der **Pranger** von 1633. Vor Haus Nr. 54 befindet sich ein barockes Standbild des **hl. Nepomuk** (1721). Es gibt im Ort noch viele schöne **alte Häuser** aus dem 16. Jh. **Schloß Rossatz** wurde im 14./15. Jh. von Vögten des Bayer. Stiftes Metten erbaut. 1582 erhielt die Straßenfront das Sgraffitoband und die Arkaden des Hofes. Um 1700 wurde das zweite Stockwerk nach italienischem Vorbild errichtet. Dank fortschreitender Restaurierung wird das Schloß mehr und mehr zum Mittelpunkt der Gemeinde.
Die **Filialkirche St. Katharina in Mitterarnsdorf** ist ein einfacher gotischer Bau aus dem 15. Jh. Chor mit Kreuzrippengewölbe (1350), an den Wänden Fresken (um 1470). Auch hier schöne **alte Häuser** aus verschiedenen Zeiten.
Die **Filialkirche St. Johann im Mauertal** war schon im 13. Jh. dem Stift St. Peter in Salzburg unterstellt. Der heutige Bau stammt aus dem 15. Jh. Das Landghaus schmückt eine überlebensgroße Kreuzigungsgruppe (16. Jh.), spätbarocke Kanzel, klassizistische Orgel. Aufwendiger Hochaltar im gotischen Chor.
Den Schlüssel zur Besichtigung der **Filialkirche in St. Lorenz** erhält man im Pfarrhof Rossatz. Der schlichte Bau besticht durch seine harmonische Architektur. Langhaus aus romanischer Zeit (um 1200) und gotischer Chor (1409). Im kreuzrippengewölbten Chor sind die gotischen Fenster noch erhalten, die Fenster des Langhauses stammen aus dem Barock.

ST. PANTALEON B 4

Höhe: 242 m ü. d. M. — Einwohner: 2000. — Postleitzahl: A-4303. — Telefonvorwahl: 0 74 35. Auskunft: Gemeindeamt St. Pantaleon, Tel.: 23 52.
St. Pantaleon liegt in der äußersten Ecke Niederösterreichs an der Donau.
Geschichte: Hier befand sich im 2. Jh. ein römisches Lager. Im 9. Jh. siedelten hier die Bayern, die eine Wallburg gegen die Awaren errichteten.
Die sehr interessante **Pfarrkirche St. Pantaleon** bietet einen äußerst malerische Anblick. Das bemerkenswerteste sind die „Doppelchorigkeit" und die Krypta. Die Kirche besitzt im Osten einen schönen gotischen Chor und im Westen einen Chor aus der ersten Hälfte des 12. Jhs. Auf dem neugotischen Hochaltar (Ostchor) hat die Statue des hl. Pantaleon (um 1470) einen würdigen Platz gefunden. Unter dem al-

ten Westchor liegt eine der frühesten Hallenkrypten Österreichs (Anfang 12. Jh.). Sehr schön sind die mit Ornamenten, Tieren und Pflanzen geschmückten romanischen Kapitelle.

1 km südlich liegt das **ehem. Benediktinerinnenstift Erla** (gegr. 1130). Das Aussehen der ehem. Stifts- und heutigen Pfarrkirche wird vom Umbau der Gotik (15. Jh.) bestimmt. Zu erwähnen sind: wunderschönes zartes Sterngewölbe in Chor und Kapellen, schönes Netzgewölbe über Mittelschiff und Empore, interessante Grabsteine, Kreuzgang, Kapitelsaal. Neugotische Einrichtung.

ST. PETER in der Au B 5

Höhe: 348 m ü. d. M. — Einwohner: 4300. — Postleitzahl: A-3352. — Telefonvorwahl: 0 74 77. — Auskunft: Gemeindeamt St. Peter in der Au, Tel.: 21 11.

St. Peter in der Au liegt im Urital an Westbahn und Voralpen-Bundesstraße, umgeben von einer waldreichen, hügeligen Landschaft.

Geschichte: Das Schloß wurde wahrscheinlich im 13. Jh. errichtet und war seit dem 14. Jh. im Besitz des Landesfürsten. 1597 wurde es von aufständischen Bauern eingenommen. Dabei geriet Graf Seemann von Mangern in Gefangenschaft. Der Ort wurde 1230 erstmals erwähnt. St. Peters berühmtester Sohn ist der Komponist Karl Zeller.

Im 13. Jahrhundert wurde die mächtige **Wehrkirche St. Peter und Paul** auf den Resten eines 1050 geweihten Vorgängerbaus erbaut. Die Anlage ist mit Wehrgang, eigener Wasserversorgung, einer militärisch angelegten Friedhofsmauer und einem Verbindungsgang zum Schloß ausgestattet. Unter dem Dach zwischen den Strebepfeilern hat die heutige Hallenkirche noch die versteckten Wehrgänge aufzuweisen. Das Langhaus wölbt ein Netzgewölbe, Kreuzrippengewölbe im Chor. Daraus ersieht man schon, daß der heutige Bau vorwiegend aus dem 15. Jh. stammt. Die früheren Altarbilder „Schlüsselverleihung" und „Maria Immaculata" stammen vom Kremser-Schmidt. Nahe der Kirche erhebt sich das **Schloß**. Vom mittelalterlichen Wasserschloß stammt noch der stattliche Bergfried. Reste des Wassergrabens und des Ganges zur Kirche sind noch zu sehen. Die Anlage um einen Arkadenhof schuf Wilhelm von Seemann im 16. Jh. In der Halle des wappengeschmückten gotischen Tores ist sein Grabstein zu bewundern.

LANDESHAUPTSTADT ST. PÖLTEN DE 4

Höhe: 267 m ü. d. M. — Einwohner: 50 000. — Postleitzahl: A-3100. — Telefonvorwahl: 0 27 42. — Auskunft: FVV Niederösterreich Zentral, St. Pölten, Rathaus, Tel.: 33 54.

St. Pölten liegt an der Traisen annähernd zentral in Niederösterreich auf breiter Niederterrasse zwischen Donau und Alpenvorland. Das römische Aelium Cetium, die mittelalterliche Klostersiedlung Traisma und die selbstbewußte Prandtauerstadt des Barock hat sich zum niederösterreichischen Landesschwerpunkt entwickelt.

Geschichte: Der Ort war vier Jh. lang als römische Zivilstadt Aelium Cetium von Bedeutung, die erst in der Zeit der Völkerwanderung verloren ging. Er erhielt 1058 das älteste niederösterreichische Marktprivileg, 1247 Stadtrecht. Die erste Klostergründung erfolgte im 8. Jh. Es ist das älteste Kloster des Landes und eines der ältesten Süddeutschlands. In der Barockzeit erlebte die Stadt einen großartigen Aufschwung und ein Teil der bedeutendsten Baumeister (J. Prandtauer), Maler (B. Altomonte) und Bildhauer (J. Päbel) des 18. Jhs. lebte und wirkte hier. 1785 wurde St. Pölten Bischofs- und Garnisonsstadt. 1922 bekam es ein eigenes Statut. Heute ist es die größte Stadt Niederösterreichs und seit 1986 auch dessen Hauptstadt.

Zentrum: Rathausplatz (um 1250 in die Siedlung einbezogen). Im 15. Jh. Marktplatz, heute Parkplatz für Pkw. In der Mitte Dreifaltigkeitssäule (1767/82), v. Andreas Gruber. Im Süden das Rathaus (1503 von Bürgerschaft erworben), mehrere Gebäude bis 1600 zu einer Einheit gefaßt. Verschiedene Baustile erkennbar: romanische Gewölbe (Polizeiwachstube), gotische Nischen (Einfahrt), Renaissanceinschriften (Torbögen über Tabaktrafik und vor Wachstube) Barockfassade. Rathausturm 1590 aufgesetzt, erhielt später Wappenkombination.
Rathausgasse 2: Barocke Fassade, mit Schubert-Relief über Eingang (Komponist Franz Schubert 1821 in St. Pölten, veranstaltete in diesem Haus mit seinem Textdichter Schober die ersten Schubertiaden).
Nordseite des Rathausplatzes: Franziskanerkirche, rokokomäßig, 1779 fertiggestellt, Turm 1895 aufgesetzt. Westlich davon: Stadttheater St. Pölten, 1820 hier errichtet, seit 1849 in Stadtbesitz, nach Umbau 1969 neueröffnet, Intendanz, Dreispartentheater, Spielzeit September bis Mai, anschließend NÖ Theatersommer mit Freilichtaufführungen im Karmeliterhof (Juni). Althausbestand mit z. T. schönen Barockfassaden. Adelspalais mit 5 Fenstern, Bürgerhäuser mit 3 Fenstern.
Südwestlich des Rathauses: Prandtauerkirche mit Karmeliterhof. 1712 geweiht, dem bedeutenden Barockbaumeister Jakob Prandtauer zugeschrieben, 1782 profaniert, 1934 als Garnisonskirche adaptiert. Mit Schaufassade und Statuen, nördlich Kriegerdenkmal.
Karmeliterhof: ursprünglich Karmelitinnenkloster, 1707 von Fürstin Montecuccoli gestiftet (daher Wappen der Montecuccoli und des Ordens Karmel), 1782 Kaserne, 1918 Sozialwohnungen, 1972 für kulturelle und kommunale Zwecke (Stadtmuseum, Computerzentrum, im Hof kulturelle Freilichtaufführungen) adaptiert. NÖ Dokumentationszentrum für moderne Kunst, Außenstelle des Museums für angewandte Kunst.
Südlich davon **Linzer Straße,** früher hier zahlreiche Einkehrgasthöfe, sehr schön revitalisierter Hof Linzer Straße 16 mit Renaissance-Grabstein (16. Jh.).
Richtung Osten beginnt die **Fußgängerzone** (seit 1961, älteste Fußgängerzone Österreichs, heutige Länge 1300 m). Institut der Englischen Fräulein, 1706 gegründet, 1767 und Ende des 19. Jhs. erweitert. Palastfassade mit tabernakelartigen Portalen, Heiligenstatuen mit Bezug zum Schulorden der Englischen Fräulein. Papst Pius VI. weilte 1782 im Institut. In der Kapelle Fresken von Paul Troger und Bartholo-

St. Pölten, Herrenplatz mit Mariensäule und Dom

mäus Altomonte, Lukas Cranach-Marienbild. Bedeutende Schülerinnen hervorgegangen, z. B. Enrica Handel-Mazzetti und Paula von Preradovic (Dichterin der österr. Bundeshymne).

Riemerplatz ist der einzige Platz mit lückenlosem Althausbestand, war Ende des 11. Jhs. als Zentrum der bischöflichen Stadtsiedlung in Richtung Wiener Straße und Kremser Gasse angelegt worden. Schöne Palais mit Barockfassaden, schmiedeeisernen Balkongittern und Innenhof. Imbißstube im Haus Nr. 1, hier auch Kunstgalerie Maringer.

Kremser Gasse: Geschäftsstraße St. Pölten, vorwiegend Häuser mit altem Kern und barocken Fassaden (z. B. Hassackapotheke), aber auch klassizistische Bauten (wie Haus Nr. 8). Staatsvertragskanzler Ing. Julius Raab ist im Haus Nr. 19 geboren. Jugendstil-Haus von Joseph Olbrich Nr. 41.

Wiener Straße: Altbauten mit Barockfassaden, z. T. Neuerrichtungen um die Jahrhundertwende. Haus Nr. 8 im Schweizerhaus- und Weser-Renaissancestil nach 1900 gebaut vom selben Architekten wie Haus Nr. 3 (hier wohnte im abgerissenen Gebäude der Barockmaler Daniel Gran). 1974 Passagekaufhaus zur Revitalisierung der Bauten nach Norden zur Domgasse in mehreren Etagen angelegt.

Herrenplatz: Benannt nach dem Herrenhaus der früheren Grundherrschaft Wiener Straße 12. Im Zentrum die Mariensäule, 1718 von Peter Widerin gestaltet. Südlich schöne Barockfassaden, im Westen das Bar-Haus mit Aurora-Relief, Nepomukstatue und im Gang Diogenes-Plastik im Faß. Der Herrenplatz und die Herrengasse 1977/78 architektonisch neu gestaltet für Fußgängerzone.

Domplatz: Domkirche ist ursprünglich romanische Basilika, die im Inneren barockisiert wurde. Die barocke Ausgestaltung durch Jakob Prandtauer. Fresken und Gemälde von Daniel Gran, Thomas Friedrich Gedon, Bartholomäus Altomonte, Antonio Tassi und Tobias Pock. Chorgestühl, Beichtstühle, Kanzel, Orgelgehäuse sind reich skulptiert und stammen von Peter Widerin, Hippolyt Nallenburg und Josef Päbel. Sehenswert die romanische Rosenkranzkapelle als Südostapsis. Der Domturm ist 77 m hoch. Im Norden des Turmes das in der 2. Hälfte des 17. Jhs. in heutiger Form erbaute ehemalige Klostergebäude, die älteste klösterliche Niederlassung Niederösterreichs. Sehenswert der Kreuzgang mit historischen Grabsteinen, die ehemalige Prälatur mit dem schmiedeeisernen Tor, den Sandstein-Gründer-Statuen des Klosters und dem Stiegenhaus mit stuckierten Säulen. Nördlich das Bischofstor und die Hofstatt mit Kriegerdenkmal.

SCHALLABURG (Gemeinde SCHOLLACH) D 4

Höhe: 228 m ü. d. M. — Einwohner: 800. — Postleitzahl: A-3382. — Telefonvorwahl: 0 27 54. — Auskunft: Geschäftsführung Schloß Schallaburg, Tel.: 63 17.

Die ruhige Gemeinde Schollach ist ein idealer Ausgangspunkt für Ausflüge zur Schallaburg, wo jährlich von Mai bis Oktober große Kunstausstellungen stattfinden.

Geschichte: Um 1100 erhielt die Burg ihren Namen nach den hier lebenden Herren von Schalla. Graf Sighard von Schalla, Gemahl einer Schwester Leopolds III. dürfte der Bauherr der mittelalterlichen Anlage gewesen sein. Nach dem Aussterben der Familie erhielten sie die Zelkinger (1250 – 1450), danach die bedeutende Familie der Losensteiner (bis 1614), die ihr jene Gestalt verliehen, auf der ihre Bedeutung beruht. Ab 1762 übernahmen die Freiherren von Tinti die Herrschaft, die bis 1940 dauerte. 1955 erfolgte der Übergang in Staatseigentum, seit 1967 ist die Schallaburg niederösterreichisches Landeseigentum und wurde in einmaliger Weise restauriert.

Nach außen hin ist der imposante Bau der **Schallaburg** einfach und schmucklos. Die mittelalterlichen Bauteile sind von den frühneuzeitlichen Trakten weitgehend ummantelt, aber zum guten Teil noch ausgezeichnet erhalten und künden von der Bedeutung der Anlage schon in früher Zeit. Der monumentalste Teil der mittelalterlichen Burg ist der Palas mit beachtlicher Ausdehnung (23 × 11 m), Mauerstärke (mehr als 2 m) und fünf Geschossen. Die Gesamthöhe betrug 19 m. Der Bergfried, dessen Fundamente im Renaissancehof ausgegraben wurden und die Kapelle mit Krypta gehören noch zum ältesten Baubestand. Diese Gebäudegruppe war von einer mit Zinnen bekrönten

Arkadenhof in der Schallaburg

Ringmauer umgeben. Man nähert sich der Burg, vorbei an den Vorwerken, die einst Amtsräume und Wohnungen enthielten, das „Gerichtsstöckl" ist heute noch bewohnt. Vorbei am „Jägerstöckl", einem reizvollen Vortor, erreicht man beim „Försterstöckl" (1573) den engeren Schloßbereich. Über dem kleinen Tor findet man auch erstmals das Doppelwappen des Losensteiners und seiner Gemahlinnen. Die Wehranlagen wirken mit den typischen Schwalbenschwanzzinnen der Renaissance und hervorspringenden Erkertürmchen, überzogen von einem jahrhundertealten Efeustock äußerst malerisch. Von hier kommt man in einen der schönsten Burghöfe Österreichs, in den **großen Arkadenhof** (ca. 1570). Ein zweigeschossiger Arkadengang, verkleidet mit leuchtendroten Terrakottafiguren und -ornamenten umzieht den trapezförmigen Hof an drei Seiten. Die 1600 Figuren, Köpfe, Wappen und Bänder (Jakob Berneker), die den Hof schmücken, scheinen gelesen sein zu wollen wie ein altes Buch. Grimassenschneidende Fratzen, Musen und Szenen der griechischen Sagenwelt, Figuren, die die sieben Künste und die sieben Kardinalstugenden verkörpern, das „Fräulein mit dem Hundekopf" (oft auch als Wahrzeichen der Schallaburg betrachtet) schmücken die Bögen und Wände der Arkaden. Im Inneren des Ganges kann man weitere Ornamente und Köpfe bewundern, die Medaillons im Ostflügel stellen römische Imperatoren ab Cäsar dar. Durch den **kleinen Arkadenhof** kommt man zum ältesten Teil des Schlosses, dem Palas. Auf dem Rückweg sind westlich davon der **Exzellenzentrakt** (mit Resten von Fresken) und die **Schloßkapelle** mit dem Hochgrab Hans Wilhelm von Losensteins sowie verschiedene

Wappen zu besichtigen. Unter der Kapelle findet man Reste einer romanischen Unterkirche mit vier Säulen aus dem 12. Jahrhundert. Über eine schmale Steintreppe des kleinen Hofes gelangt man in den oberen Arkadengang zu den restaurierten, schmucklosen Räumen, die wechselnde, sehr sehenswerte Ausstellungen zeigen. Als letztes sollte man noch den **Turnierhof** besichtigen (wie er fälschlicherweise oft genannt wird). Der sehr geräumige Garten wurde in der Art eines Renaissanceparks wiederhergestellt und von hier aus hat man, hinweg über die streng geometrischen Rasenflächen und Hecken, den schönsten Gesamtblick auf die Anlage, einem der schönsten Renaissanceschlösser nördlich der Alpen.

SCHEIBBS C 5

Höhe: 333 m ü. d. M. — Einwohner: 4500. — Postleitzahl: A-3270. — Telefonvorwahl: 0 74 82. — Auskunft: Stadtamt Scheibbs, Tel.: 25 11.

Scheibbs ist eine traditionsreiche Stadt mit alten Bürgerhäusern und romantischen Gassen.

Geschichte: Erste urkundliche Erwähnung 1160. 1208 gelangt der Ort an die Babenberger, 1352 Erhebung zur Stadt durch Albrecht II. von Habsburg. 1529 und 1532 wurde die Stadt durch die Türken belagert. 1537 Verleihung des Stadtwappens durch Ferdinand II. 1645 großer Brand, 1676 Gründung des Kapuzinerklosters, 1683 wieder Türkenbelagerung. 1820 wurde das erste Eisen-, Stahl- und Walzblechwerk der österreichisch-ungarischen Monarchie gegründet., 1886 die erste elektrische Straßenbeleuchtung in der ganzen Monarchie in Scheibbs installiert. 1926 erfolgte die zweite Stadterhebung.

Die **Pfarrkirche St. Maria Magdalena** ist eine mächtige dreischiffige spätgotische Hallenkirche. Der vieleckige Chor bildet mit dem Langhaus eine Einheit. Von der Ausstattung sind zu bemerken: prächtiger Hochaltar (1704) und weitere vier Barockaltäre, die Kanzel, ein hl. Nepomuk von 1712, zwei spätgot. Muttergottesstatuen. Den **Pfarrhof** (überwiegend 17. Jh.) schmückt ein gotischer Erker. In der **Kapuzinerkirche St. Barbara** (1678 – 84) befindet sich ein Hochaltarbild von J. M. Schmidt (1777). Das **Schloß** stammt von 1150. Es besitzt einen quadr. Eckturm und im Hof Lauben auf zwei Seiten. Das sehenswerte **Heimatmuseum** enthält einen schönen geschlossenen Bestand aus den Bauernkriegen.

SCHÖNBÜHEL-AGGSBACH D 4

Höhe: 260 m ü. d. M. — Einwohner: 1100. — Postleitzahl: A-3642. — Telefonvorwahl: 0 27 53. — Auskunft: Gemeindeamt Aggsbach. — Tel.: 82 69.

Die zwei idyllischen Gemeinden liegen am rechten Donauufer, 5 bzw. 10 km nach Melk. Vorbei an der Donauschiffahrtsanlegestelle, in einer schönen, naturbelassenen Umgebung, findet der kulturell Interessierte Sehenswertes aus vergangenen Jahrhunderten.

Schloß Schönbühel

Geschichte: Bodenfunde dokumentieren hier bereits eine prähistorische Ansiedlung, und zwar während der Keramikzeit. Erste urkundliche Erwähnung von Aggsbach-Dorf um 1115, von Schönbühel 1358.

Schloß Schönbühel wurde Anfang des 12. Jhs. von den Herren Marchwardens von Schoenbuchele erbaut und im 14. Jh. von den Fürsten Starhemberg vergrößert und stark befestigt. Das jetzige Schloß ist ein Neubau von 1819—21, der unter Miteinbeziehung der alten Mauern entstand. Es liegt beherrschend auf dem Donaufelsen hoch über dem Fluß, und heute sind nur noch der einstöckige Nebenflügel und ein runder Turm vom alten Schloß erhalten. Es ist Privatbesitz und nicht zu besichtigen. Das **Servitenkloster,** 500 m vom Schloß entfernt, steht an der Stelle eines „sehr angenehmen Lustschlosses", das aber schon ganz verfallen war, und von dem die Donauschiffer glaubten, daß es dort spuke. Diesen Platz wählte der fromme Graf Lothar-Balthasar von Starhemberg, um hier eine Kapelle zu errichten. Er rief 1666 Servitenmönche zur Seelsorge hierher, und nach dem Bau des Hl. Grabes wurden Kirche und Kloster errichtet. Auch nach 1783 wurde das Kloster nicht aufgehoben, sondern es erhielt die Pfarrechte übertragen, da die gotische Schloßkirche bereits äußerst baufällig war. Am Stiegenabgang zum Kloster gelangt man vorüber an einer figuralen Darstellung Golgathas (18. Jh.). Von diesem Platz aus genießt man einen herrlichen Blick auf die Donau, Schloß Schönbühel, Stift Melk; gegenüber ragt die Kirche von Emmersdorf über die Donauauen. Die Klostergebäude sind einstöckig und umrahmen äußerst schlicht einen stillen Klosterhof mit schönem Kreuzgang. Das ehemalige Refektorium enthält leichten Rocaillestuck mit den Ordensemblemen um 1770, darunter liegen geräumige Kellergewölbe. Die **Kloster- und Pfarrkirche St. Rosalie** ist in den Gebäudekomplex einbezogen und ein schlichter, frühbarocker Bau (1666—74). Sie hat die Form eines Kreuzes, ist licht und gewölbt. Der Hochaltar ist scheinperspektivisch gemalt, mit zentraler, barocker Holzplastik. Dahinter liegt eingebaut die bereits erwähnte Grabkammer Christi. Unter dieser Grotte, am äußersten Felsvorsprung des Kalvarienberges (1669), ließ Graf Starhemberg eine Nachbildung der Bethlehemkapelle errichten, die, der Donauseite zugekehrt, durch ihre Düsterkeit und Weltabgeschiedenheit von eigenartiger Wirkung ist. Weiter auf kurvenreicher Straße entlang den Donauauen kommt man durch den Wald nach **Aggsbach-Dorf.** Haus Nr. 3 ist die **Hammerschmiede,** die externer Bestandteil der Kartause war, aber noch bis 1956 betrieben wurde. Sie ist heute eine der letzten erhaltenen Anlagen dieser Art. Der Bau stammt aus dem 16. Jh. Die Fassade ist von 1800 und zeigt das Zunftzeichen der Hammerschmiede als Fresko. Im vorgeschobenen Mittelteil liegt das eigentliche Hammerwerk aus monumentalem Gebälk und mit einer Holzwelle von ca. 80 cm Durchmesser. Seitlich fließt ein Kanal vorbei, er enthält noch das verfallene Wasserrad. Haus Nr. 5, **Kelleramt,** ebenfalls ursprünglich zur Kartause gehörend, ist ein langgestrecktes Wirtschaftsgebäude mit hohem, wuchtigem Turm. Durch diesen führt eine rundbogige Einfahrt in den, von einer Mauer eingefaßten, weiträumigen Hof. Hier steht das Hauptgebäude mit glatten Wandflächen, rechts davon eine schwarze Küche mit hohem Kamin. Dahinter steigt zu einer Berglehne die hohe Wehrmauer der Kartause. Sie gehört zur heute noch teilweise erhaltenen Umfassungsanlage mit stattlichen Mauerresten und Viereckstürmchen. Von hier aus kann man die Bauanlage der **Pfarrkirche Mariä Himmelfahrt** gut überblicken. Die ehemalige Kartäuserkirche, 1392 geweiht, zeigt den für Kartausen charakteristischen, langgestreckten, einschiffigen, schmalen und hohen Bau. Er ist kreuzrippengewölbt mit schönen, figuralen Schlußsteinen. Der Hauptaltar enthält ein spätgotisches Holzrelief „Beweinung Christi" (16. Jh.). Die bemerkenswerte Kanzel (um 1760) ist schwarzgefaßt und mit überreichem, vergoldetem Zierrat versehen. Die gotischen Meisterwerke, die die Kirche einst enthielt, befinden sich heute im Stift Herzogenburg. Die **Kartausenanlage** wurde 1372—80 für ungefähr 10 Mönche gestiftet und war das kleinste Kartäuserkloster der drei in Niederösterreich. Es verfiel während der Reformationszeit und war nach seiner Restaurierung im 16. Jh. als Fluchtort vorgesehen. 1782 wurde es jedoch endgültig aufgehoben.

Ruine Aggstein

An den Fassaden der Anlage, die in weitem Bogen den Bach entlang errichtet ist, sieht man schmiedeeiserne Fensterkörbe, und die ehemalige Prälatur hat eine wunderschöne Bemalung. Sie ist heute in Privatbesitz und zeigt, was Privatinitiative bewirken kann. Wieder zurück zur Uferstraße der Donau führt rechts ab ein schmaler und steiler Weg zur **Ruine Aggstein**. Die Burg, auf einem 300 m hohen Felsen über dem Donauufer gelegen, gehört wegen ihrer Größe und geschichtlichen Bedeutung zu den wichtigsten Burgen Österreichs.

Von den Kuenringern, wahrscheinlich Nizzo von Gobatsberg, gegründet, wurde die Burg erst nach 1231 und 1295 zerstört. 1429–36 erbaute sie Jörg von Scheck vom Wald neu und mit der Stiftung einer ewigen Messe. 1529 erfolgte die zweite Zerstörung durch die Türken. Unter Anna von Polheim, die die Burg samt Herrschafts- und Mautrechten 1606 erwarb, wurden die Bauten im 3. Hof neu errichtet. Aggstein war durch die Jahrhunderte ein mächtiger und gefürchteter, immer wieder umkämpfter Besitz. 1438 verlieh Albrecht V. das Mautrecht für alle stromauf fahrenden Schiffe seinem Rat- und Kammermeister Georg Scheck – eines der frühesten Zeugnisse für Schiffszüge auf der Donau. Viele Sagen und Märchen verbinden sich mit der noch immer eindrucksvollen Burgruine, die zu den eigenartigsten des Landes zählt.

Rundgang: Im ersten Hof, an der an den Torturm rechts anschließenden Wehrmauer, sieht man einen gut erhaltenen Hauptwehrgang. Durch eine riegelförmige Quermauer gelangt man in den zweiten Hof. Rechts neben dem Durchgang das drei mal vier Meter große Burgverlies, bzw. das Hungerloch. Diese Anlage ist 8 m tief. Die Hauptschildmauer ist 5 Meter stark. Über dem Tor sind das Wappen des Georg Scheck von Wald in rotem Kalkstein und eine Inschrift mit der Jahreszahl 1419 zu sehen. Nun folgt der 80 m langgestreckte Mittelhof, der Kern der Ruinenanlage. Im linken Teil des Hofes wurden im 17. Jh. große Wohnräume eingebaut. Rechts befinden sich die Küche mit ihrem hohen, pyramidenförmigen Rauchschlot und ein kleines Wohnhaus, der sogenannten Gesindestube, in der heute die Gasträume untergebracht sind. In der Küche ist noch der offene Rauchschlot zu sehen. Und bei einem Blick in die linke hintere Ecke kann man den mittelalterlichen Ausguß für Abwässer sehen. Im Hof selbst sieht man noch die 11 m tiefe Zisterne, die das Regenwasser sammelte und in früheren Zeiten als einzige Wasserversorgung diente. Auf der linken Seite liegt der Brunnenhof, dahinter der Schmiedhof und zwei gewölbte Räume, die mit einem Kamin versehen als Schmiede bezeichnet werden. Über Stufen gelangt man zur ersten Felsplatte mit einem Auslugposten, etwas höher liegt das obere Plateau, auf dem sich der Bergfried erhebt. An der Westseite gelangt der Besucher über eine Treppe in die Hochburg. Die Pforte ist spätgotisch, darüber eine vorragende Pechnase. Im vierten Hof waren Wohngebäude und weite Kellerräume untergebracht. An den Palas schließt zur Rechten die Kapelle, deren gotische Gewölberippen im Ansatz noch erhalten sind. In der Rückwand der Kapelle sind zwei schmale horizontale Schlitzfenster, durch die man dem Gottesdienst aus dem angrenzenden Wohnraum folgen konnte. Über weitere Holzstiegen erreicht man die Kemenaten im Palasttrakt des Schatzturmes und schließlich das sagenumwobene Rosengärtlein, wo Gefangene vor die Wahl gestellt worden sein sollen, zu verhungern oder in die Tiefe zu springen. Im Tale und unmittelbar am Stromufer liegt das ehemalige **Mauthaus,** heute Forsthof. Es zeigt anmutige Proportionen mit stilvoller, schlichter Fassadierung (um 1820).

SEITENSTETTEN B 5

Höhe: 349 m ü. d. M. — Einwohner: 3000. — Postleitzahl: A-3353. — Telefonvorwahl: 0 74 77. — Auskunft: Gemeindeamt Seitenstetten, Tel.: 22 24.

Seitenstetten ist ein gepflegter und freundlicher Markt im westlichen Niederösterreich, an der Westbahn und der Bundesstraße 122 gelegen. Der Ort besitzt vielseitige Fremdenverkehrseinrichtungen.
Geschichte: 1109 scheiterte die Gründung eines Chorherrenstifts bei der heutigen Friedhofskirche St. Veit. Daraufhin gründete der Ritter Udalschalk von Stille 1112 das Benediktinerkloster. Bald darauf wurden dem Stift die Mutterpfarren Aschbach und Wolfsbach unterstellt, aus denen die heutigen 14 Pfarren des Stiftes hervorgingen. Noch im 12. Jh. wurde die romanische Ritterkapelle erbaut und nach einem schweren Brand wurde 1250 — 1300 die heutige frühgotische Stiftskirche errichtet. 1718 — 1747 entstand der heutige Stiftsbau. 1814 erhielt das Stiftsgymnasium das Öffentlichkeitsrecht.
Langhaus und Chor der gotischen **Stiftskirche St. Maria** wurden 1677 barockisiert. Man betritt die Kirche über eine monumentale Freitreppe und durch einen frühgotisch gewölbten Vorraum. Im Langhaus stehen die Spitzbogen der Arkaden und das Kreuzrippengewölbe im reizvollen Kontrast zum Barock. Die hochbarocke Ausstattung veranlaßte Abt Benedikt Abelzhauser (1687 — 1717). Vom gotischen Bau der **Klostergebäude** stammen noch die **Ritterkapelle,** im Kern noch der **Kreuzgang** und das Portal des ehem. Kapitelhauses. Den Barockumbau lei-

teten Josef Munggenast und Jakob Prandtauer. Die Ritterkapelle ist ein zweijochiger Saal (12. Jh.), schöne Kapitelle, Altarfigur „Madonna in der Muschel" (1440). Barttolomeo Altomonte schuf 1744 das Deckenfresko des **Treppenhauses**. Die Treppen führen zum **Marmorsaal** mit einem Deckenfresko von Paul Troger. Aus seiner Hand stammt auch das Deckenfresko in der **Bibliothek**. Das **Mineralienkabinett** enthält schöne Rokokoschränke, das 1819 zusammengestellte **Kunstkabinett** enthält archäologische Funde und Bildhauerarbeiten von Georg Raphael Donner. Eine Besonderheit sind die Gemälde von Paul Troger, Daniel Gran und Martin Johann Schmidt. 1988 findet in Seitenstetten die Niederösterreichische Landesausstellung statt.

SENFTENBERG D 3

Höhe: 276 m ü. d. M. — Einwohner: 2000. — Postleitzahl: A-3541. — Telefonvorwahl: 0 27 19. — Auskunft: FVV Senftenberg, Gemeindeamt, Tel.: 3 19.

Senftenberg liegt da, wo das Kremstal am romantischsten ist, eingebettet in sattgrüne Waldhänge, üppige Weingärten und ausgedehnte Wiesen, 7 km von Krems entfernt.

Geschichte: Senftenberg wurde 1304 zur Pfarre und 1583 zum Markt erhoben. Die Kirche in Imbach geht auf eine Schenkung Alberos von Feldsberg und seiner Gemahlin Gisela zurück, die 1269 ihre Burg den Dominikanerinnen übergaben, die um 1280 aus deren Steinen ihre Kirche errichteten. Die Burg Senftenberg wird 1197 erstmals erwähnt und wurde 1645 zerstört.

Das Dorf besitzt noch **schöne Häuser** aus dem 16. Jh. Sehr malerisch ist der Anblick von **Burgruine** und **Pfarrkirche St. Andreas.** Die ursprüngliche Schloßkapelle war einst Wehrkirche und mit der Burg durch einen Brückengang verbunden. Im 18. Jh. wurde der spätgotische Bau (1520) barockisiert. Die Burgruine hat noch eine mächtige Schildmauer, mittelalterliche Tore und einen festen Bergfried.

Imbach:
Ehemalige Klosterkirche der Dominikanerinnen (1782 aufgehoben) ist die **Pfarrkirche Mariä Geburt** (früheste zweischiffige Hallenkirche Österreichs). Das Langhaus mit Kreuzrippengewölbe öffnet sich durch den spitzen Triumphbogen zum schmäleren und niedrigeren Chor mit seinem schönen sechsteiligen Gewölbe. An das Langhaus angebaut ist die **Katharinenkapelle** (1320) mit frühgotischen Maßwerkfenstern. Durch einen Spitzbogen in der Kapelle gelangt man zur **Grab-Christi-Kapelle.** Im Chor der Kapelle eine Sakramentsnische mit Rosettengitter (um 1400), ein gotisches Flügelaltärchen, ein Bild der hl. Jungfrau im Ährenkleide (15. Jh.), eine Muttergottes (1320/30), im Hochaltar eine Statue des hl. Blasius (14. Jh.) und eine Rosenkranzmuttergottes vom Kremser-Schmidt.

SPITZ an der Donau D 3

Höhe: 217 m ü. d. M. — Einwohner: 2025. — Postleitzahl: A-3620. — Telefonvorwahl: 0 27 13. — Auskunft: Verkehrsverein Spitz an der Donau, Tel.: 3 62.

Der Markt liegt am linken Donauufer um den freistehenden Burgberg, den berühmten „Tausendeimerberg". Er ist der Hauptort der mittleren Wachau und ein idealer Ausgangspunkt für Wanderungen und Ausflüge.
Geschichte: Der alte, schon zur Keltenzeit besiedelte Ort liegt in dem Gebiet, dessen Besitz Ludwig der Deutsche 830 dem Kloster Niederaltaich bestätigte. 1148 wird der Ortsname Spitz genannt; 1238 werden Kirche und Pfarre selbständig und 1480 bestätigt Herzog Georg von Bayern dem Ort das Marktrecht. Das Wappen mit den bayerischen Rauten erinnert noch heute an die Zeit der engen Verbindung mit Bayern.
Die **Pfarrkirche St. Mauritius** ist eine spätgotische, mächtige Staffelkirche und war einst mit einer Wehranlage versehen. Dem Bau sind malerische Unregelmäßigkeiten eigen, die wohl von den verschiedenen Bauzeiten herrühren. Ein herrlicher Innenraum mit dem nach Norden gerichteten Chorraum besitzt eine großartige, zum Teil werkvolle Steinempore, mit Figurennischen, die eine künstlerisch sehr wertvolle Gruppe — Christus und die 12 Apostel — enthalten (1380). Der barocke Hochaltar, schwarz-gold gefaßt, zeigt ein bemerkenswertes Gemälde von Joh. Martin Schmidt (1799). Besonders hervorzuheben sind auch die zahlreichen, z. T. figuralen Grabsteine und Wappengrabsteine. Der **Kirchplatz,** in dessen Mitte ein alter Brunnen plätschert, ist äußerst malerisch und wirkt noch fast mittelalterlich, obwohl die ihn einrahmenden Häuser zum großen Teil barocke Fassaden haben. Nordwärts hinter der Kirche liegt der **Pfarrhof,** im Baukern 16. Jh (1520) mit spätbarocker Eingangspforte. Durch die Schloßgasse kommt man zum **Niederen Schloß.** Urkundlich 1256 erwähnt, wurde es 1312 erweitert, doch sein heutiges Aussehen datiert nach 1600. Im vieleckigen Hof findet man sehr schöne Fensterrahmungen und viele Wappen. Weitere Sehenswürdigkeiten sind das alte **Rathaus und Bürgerspital,** eine ursprünglich gotische Baugruppe mit schönen Fresken im Hof. Eine Besonderheit in der Wachau ist der **Erlahof.** Der mächtige und doch behäbige Hof gehörte ehemals dem bayerischen Stift Niederaltaich. Er umfaßt ein Herrenhaus und ein Wirtschaftsgebäude mit reizvollen, barocken Giebelfassaden in venezianischem Stil. Im Inneren sind prächtige, stuckverzierte Portale und Ecken mit Gemälden erhalten geblieben. Vom hohen Alter des Gebäudes künden die bei den Restaurierungsarbeiten freigelegten gotischen Fresken der ehemaligen Kapelle. Heute beherbergt er das **Schiffahrtsmuseum,** ein Spezialmuseum der historischen Ruder- und Floßschiffahrt auf der Donau, und stellt die reiche Geschichte eines Gewerbes dar, das einst große Bedeutung und hohes Ansehen hatte.
Westlich von Spitz liegt am Ende des Spitzerbachtales die Gemeinde **Mühldorf** (Auskunft: Gemeindamt, Tel.: [0 27 13] 82 30). Sehenswert ist hier die **Burg Oberranna** (Besichtigung nur nach Vereinbarung). Die alte Burg aus dem 11. Jh. wurde im 15. und 16. Jh. umgebaut. Die Burg ist zur Gänze mit gut erhaltenen Ringmauern und Türmen umgeben. Kunsthistorisch interessant ist vor allem die Burgkirche St. Georg mit einem sehr seltenen zweiten Querschiff und Krypta mit Freskenresten aus dem Mittelalter.

STOCKERAU FG 3

Höhe: 174 m ü. d. M. — Einwohner: 13 000. — Postleitzahl: A-2000. — Telefonvorwahl: 0 22 66. — Auskunft: Rathaus Stockerau, Tel.: 25 17, 25 18, 25 19.

Stockerau, die größte Stadt im Weinviertel, liegt 30 km nordwestl. von Wien eingebettet zwischen ausgedehnten Donauauen und den Hügeln des Wagrams.

Geschichte: Erste urkundliche Erwähnung 1012. Marktrechte 1465 durch Friedrich III. Barocke Erweiterung nach Osten, Stadterhebung 1893.

Die auf einem Hügel gelegene **Pfarrkirche St. Stephan** überrragt mit ihrem 88 m hohen Turm (1725) die ganze Stadt. Die frühklassizistische Kirche wurde von Peter Mollner 1777/18 erbaut. Die reichhaltige Ausstattung stammt aus der Erbauungszeit. Die **evangel. Kirche** (ehem. Bürgerspital) stammt aus dem 17. Jh. Ein ehemaliges Puchheimsches Schloß (Fassade Fischer v. Erlach d. J.) ist das heutige **Rathaus** (17. Jh.). Sitzungssaal mit Stuckdecke und Bildnissen der Habsburger und einer Darstellung mit der Verleihung des Stadtrechtes. Das internationale **Lenau-Archiv im Niembsch-Hof** und das **Bezirksmuseum im Kulturzentrum Belvedereschlößl** sind zu besichtigen. Mehrere **Häuser** mit Fassaden des 17./18. Jhs. und **barocke Säulen** schmücken die Stadt. Die herrlichen **Donauauen** laden auf gut markierten Wanderwegen ebenso zu Spaziergängen ein wie die **Marienhöhe** mit einem Aussichtsturm und Fitparcours. Im August finden jährlich Freilichtspiele statt.

6 km nördlich der Stadt liegt der hübsche Ort **Sierndorf** (Auskunft: Gemeindeamt A-2011 Sierndorf, Tel.: [0 22 67] 2 25). Das **Schloß** wurde 1516 neu erbaut und im 18. Jh. umgebaut. Die vier Flügel verbindet ein spätbarockes Stiegenhaus. Besonders sehenswert ist die Schloßkapelle, heute **Pfarrkirche** von Siernsdorf. Sie enthält u. a. die frühesten Renaissanceplastiken Österreichs. Bemerkenswert ist auch der prächtige Renaissance-Hochaltar aus Stein mit Flügeln aus Holz.

TRAISKIRCHEN G 5

Höhe: 210 m ü. d. M. — Einwohner: 14 000. — Postleitzahl: A-2514. — Telefonvorwahl: 0 22 52. — Auskunft: Stadtgemeinde Traiskirchen, Tel.: 5 26 11, Heurigenanzeiger: Tel.: 5 31 00.

Der bekannte Weinbauort Traiskirchen liegt 26 km südlich von Wien.

Geschichte: Urkundlich erwähnt wurde Traiskirchen erstmals 1082. 1319 wurde der Ort zum Markt und 1927 zur Stadt erhoben.

Die befestigte Anlage von **Pfarrkirche St. Margareta** ist im Pfarrhof und ehem. Friedhof von einem Wassergraben umgeben, über den eine steinerne Brücke zu einem Torturm führt. Die Kirche wurde 1755 von Matthias Gerl unter Benutzung gotischer Teile vollendet. Sehr schön ist die Rokokoausstattung (Kanzel 1763, hl. Johann Nepomuk 1764, Hochaltar 1774). Der **Pfarrhof** mit reizvollem Stiegenhaus stammt von 1746. Die **Dreifaltigkeitssäule** wurde 1722 errichtet. Die Filialkirche **St. Nikolaus** ist eine kleine umgebaute romanische Kirche. Ein roman. Fenster ist in der Apsis erhalten, barocker Vorbau, Hochaltar 18. Jh. Einen Besuch wert ist auch das sehenswerte **Heimatmuseum**.

TULLN F 3—4

Höhe: 177 m ü. d. M. — Einwohner: 11 300. — Postleitzahl: A-3430. — Telefonvorwahl: 0 22 72. — Auskunft: Fremdenverkehrsabteilung des Stadtamtes Tulln, Nußallee 4, Tel.: 42 85.

Die Rosenstadt Tulln liegt inmitten des Tullner Feldes an der Donau nur 30 Autominuten von Wien entfernt.

Geschichte: Schon zur Römerzeit lag hier das Reiterkastell Comagena, zu dem auch ein Donauhafen gehörte. Die erste urkundliche Nennung von „Tullina" erfolgte im Jahre 859. Der Name hat sich trotz 400jähriger Römerherrschaft aus der keltisch-illyrischen Besiedlungszeit erhalten. So war Tulln lange vor Wien jahrzehntelang Herrschersitz der Babenberger und erlebte dadurch einen ungeahnten kulturellen und wirtschaftlichen Aufschwung. Zeugen dieses unschätzbaren Kulturgutes begegnet man noch heute in allen Stadtteilen.

Die **Pfarrkirche St. Stephan** ist eine dreischiffige romanische Pfeilerbasilika mit zwei Westtürmen aus dem 12. Jh. 1486—1513 wurde die Kirche gotisiert und im 14. Jh. entstand der hohe Chor. Sehr sehenswert ist das romanische Westportal aus dem 13. Jh. mit einzigartigen Reliefs in Rundbogennischen. Der prächtige barocke Hochaltar im hochgotischen Chor stammt aus der Karmeliterinnenkirche von St. Pölten. Ein kulturelles Juwel ist der neben der Kirche liegende spätromanische **Karner** aus dem Jahre 1250. Er gilt als einer der schönsten Österreichs. Herrlich sind die vielfach gegliederten und geschmückten Portale. Die ehem. **Minoritenkirche** wurde 1732/39 als Saalkirche erbaut. Die reiche einheitliche Ausstattung stammt aus der Mitte des 13. Jhs. Mittelpunkt der Stadt ist der **Hauptplatz** mit vielen sehr schönen malerischen Hausfassaden. Hier steht auch die **Dreifaltigkeitssäule** von 1695. An der Donau haben sich beachtliche Teile der mittelalterlichen **Stadtmauer** erhalten. Im schönen **Stadtpark** steht noch die Ruine des 1590 errichteten **Stadtturms.** Sehenswert ist auch das interessante **Heimatmuseum.**

WAIDHOFEN a. d. Thaya D 1

Höhe: 510 m ü. d. M. — Einwohner: 5400. — Postleitzahl: A-3830. — Telefonvorwahl: 0 28 42. — Auskunft: Stadtgemeinde Waidhofen a. d. Thaya, Tel. 23 31 und 23 32.

Am Talhang des linken Thayaufers, wo die von Wien nach Prag führende Bundesstraße das Thayatal überquert, liegt Waidhofen. Die Stadt hat die für Wehrstädte typische Dreiecksform.

Geschichte: Vermutlich wurde das Gebiet im 8. oder 9. Jh. besiedelt. 1171 wird Waidhofen erstmals urkundlich erwähnt. Ende des 13. Jhs. verbrannten die Truppen des Böhmenkönigs Przemysl Ottokar Kirche und Teile der Stadt. 50 Jahre später war es König Johann von Böhmen, der die Stadt und die Umgebung verwüstete. Herzog Albrecht II. erteilte 1337 das Recht, zwei Jahrmärkte abzuhalten, Albrecht III. bestätigte 1375 die Rechte und seine Nachfolger verliehen 1403 einen dritten Jahrmarkt. Den Hussiten gelang es nie, die Stadt zu erobern, aber sie verwüsteten die Umgebung. Der Ungarnkönig Matthias Corvinus besetzte 1483 die Stadt. Ende des 16. Jhs. lagerten rebellische Bauern um die Stadt. Ein Anführer, Andreas Schrembser wurde vor der Stadt unter Generaloberst Morakschy geviertelt. Höhepunkt des Elends war der 30jährige Krieg, aber selbst die

Schweden schafften es nicht, die Stadt zu erobern. 1493, 1613, 1615, 1616 und 1679/80 suchte die Pest Waidhofen heim. 1452, 1834, 1835 gab es schwere Feuersbrünste. Am 7. August 1873 vernichtete ein Großbrand das alte Stadtbild fast gänzlich. Über die alten Tore und Mauern ist Waidhofen heute längst hinausgewachsen. Die Bezirksstadt mit allen Ämtern und Behörden (seit 1850 Sitz der Bezirkshauptmannschaft) ist ein bedeutender Handels- und Marktplatz und eine anerkannte Schulstadt.

Sehenswert ist die barocke **Stadtpfarrkirche Mariä Himmelfahrt,** die 1716 – 1723 von Matthias Fölser erbaut wurde. Die Kirche besitzt einen reichen figürlichen Freskenschmuck und einen prächtigen Hochaltar mit einem Altarbild von Matthias Mölk. Bemerkenswert ist der gut erhaltene Orgelchor. Im Pestaltar befindet sich die Skulptur der 14 Nothelfer aus dem Jahre 1510. In einer Seitenkapelle eine gotische Madonna um 1440. Weitere Sehenswürdigkeiten in der Stadt sind die barocke **Bürgerspitalskirche** mit einem gotischen Chor, das zweistöckige **Renaissance-Rathaus** (Baukern 16. Jh.) mit schönem Treppengiebel, die **Dreifaltigkeitssäule** aus dem Jahre 1709 und die **Zwiebelkapelle** gegenüber dem Krankenhaus, eine barocke Kapelle mit herrlichem schmiedeeisernen Gitter (um 1730). Waidhofen besitzt **drei Museen:** Das **Heimathaus** (Wiener Str. 14) ist ein Bürgerhaus, das in seinen ältesten Teilen aus dem 14. Jh. stammt (Sgraffitofassade mit Jahreszahl 1577). Im Inneren Holzdecke, „Schwarze Kuchl" und Fluchtkeller. Es enthält eine Darstellung der Stadtgeschichte, volks- und heimatkundliche Gegenstände (Hinterglasbilder etc.); ein Gedenkraum ist den Vertriebenen Südböhmens in Form einer „Neubistritzer-Stube" gewidmet. Weiter beherbergt es die Kommandostube des Bürgercorps und Erinnerungen an die Heimatdichter Robert Hamerling und Moriz Schadek. Das **Heimatmuseum** (Schadekgasse 4) beherbergt das Handwerks- und Textilmuseum (Original Greißlerladen, Websaal, Banderzeugung, Bandlkramer Schießscheibe etc.). Im **Silomuseum** (Raiffeisenstr.) wird altes bäuerliches Arbeitsgerät gezeigt.

Öffnungszeiten: Heimathaus und Heimatmuseum: Juli und August tägl. 10 – 12 Uhr, sonst Sonntag 10 – 12 Uhr (Tel. Auskunft 0 28 42/26 21 – 12). Silomuseum: Mo. – Fr. 8 – 12 Uhr und 13 – 15 Uhr, sonst nur Voranmeldung (Tel.: 0 28 42/25 35).

WAIDHOFEN an der Ybbs B 5

Höhe 358 m ü. d. M. — Einwohner: 11 400. — Postleitzahl: A-3340. — Telefonvorwahl: 0 74 42. — Auskunft: Magistrat-Fremdenverkehrsstelle, Waidhofen an der Ybbs, Tel. 25 11/1 60.

Waidhofen, das „Rothenburg ob der Ybbs", ist eine Stadt mit sehr sehenswertem Stadtkern. Sie ist Ausgangspunkt für die Schmalspurbahn ins Ybbstal.

Geschichte: Die Anfänge Waidhofens reichen bis ins 12. Jh. zurück (Urkunde 1186). Es gehörte bis 1803 zum Bistum Freising. Die Stadt ist eine planmäßige Gründung nach Art der Bürgerstädte auf einem Felsengelände zwischen Schwarzbach und Ybbs.

Eine Sehenswürdigkeit ersten Ranges ist die **Pfarrkirche St. Maria**

Waidhofen an der Ybbs

Magdalena und St. Lambert. Die große dreischiffige spätgot. Hallenkirche entstand um 1470. Der gesamte Chor gleicht einer zentralen Anlage. Kreuz-, Netzrippen- und Sterngewölbe bereichern das Innere. Orgelchor und Sakristei sind auch noch spätgotisch (got. Tor mit got. Tür und alten Beschlägen). Der Hochaltar ist ein Flügelaltar von 1474. Die barocke Marienkapelle (1662/1715) enthält reichen Schmuck (Altar 1715). In der Kirche befinden sich auch einige interessante Grabsteine aus allen Zeiten (Gotik – Rainessance). Die **Johanneskapelle** neben der Kirche wurde vielleicht schon 1279 geweiht (ehem. Karner). Im Stiegenhaus des **Pfarrhofs** hängen u. a. einige Bilder von Martin Johann Schmidt (1793). Die **Spitalskirche St. Katharina** ist ein spätgotischer netzrippengewölbter Bau mit einem bemerkenswerten Hochaltar (Muttergottesstatue um 1460). Der rechte Seitenaltar enthält eine Marienkrönung aus Holz (um 1500), aus der gleichen Zeit stammt ein Relief mit der Anbetung der Könige. Zwei Glasbilder stammen aus der Zeit um 1472. Gotische Steinkanzel. Die **ehem. Kapuzinerkirche** besitzt ein Altarbild von Martin Joh. Schmidt. Marienstatue um 1520. Die Burg wurde 1407 zum **Schloß** umgebaut. Weitere Veränderungen 1885–87 durch Dombaumeister Friedr. Schmidt. Dreistöckiges Burggebäude mit gotischem Bergfried und Arkaden im Hof. Der **Stadtturm**, ein Quaderbau, wurde 1535/42 als Denkmal des Sieges über die Türken 1532 errichtet. Ein **Torturm** und Reste der **Stadtbefestigung** haben sich erhalten. Zahlreiche **alte Häuser** verleihen den Straßen und Plätzen einen bedeutenden Eindruck. Das **Stadtmuseum** enthält eine reiche Sammlung an Kunst und Geschichte der Stadt und der Umgebung. **Volkskundliche Privatsammlung** Karl Pioty (Unterer Stadtplatz Nr. 39).

Einen Ausflug wert sind die zahlreichen alten **Hammerschmieden** in der Umgebung, die **Schmalspurbahn** ins Ybbstal (Dampfsonderfahrten) und der **Naturpark Buchenberg** mit Wildgehege, Waldlehrpfad und ausgedehnten Wanderwegen.

Ca. 10 km nördl. von Waidhofen liegt **Sonntagberg**. Die **Pfarrkirche St. Dreifaltigkeit und St. Michael** liegt 704 m hoch, weithin sichtbar, und war einst die nach Maria Zell meistbesuchte Wallfahrtskirche, zum Benediktinerstift Seitenstetten gehörig. Die Kirche wurde anstelle des ursprünglichen Baus von 1490 durch Jakob Prandtauer neu erbaut (1706 – 17). Der kreuzförmige Grundriß gleicht fast dem von Melk, nur in kleineren Ausmaßen. Besonders berühmt ist die Architekturmalerei von Antonio Tassi und das große silbergerahmte Gnadenbild von 1614.

WEISSENKIRCHEN in der Wachau D 3

Höhe: 206 m ü. d. M. — Einwohner: 1600. — Postleitzahl: A-3610 — Telefonvorwahl: 0 27 15. — Auskunft: Gemeindeamt Weißenkirchen, Tel.: 22 32.

Der Ort bildet mit Joching, Wösendorf und St. Michael die größte Weinbaugemeinde der Wachau. Hier ist die Wiege der Weinsorte Riesling, und am „Wachauer Kirtag" Ende Juli sowie beim Rieslingfest Mitte August hat man Gelegenheit, diesen Wein zu probieren.

Geschichte: Im Jahr 830 erscheint der Name Wachowia als Talenge in einer Schenkungsurkunde Ludwigs des Deutschen erstmals, der Ort liegt im Urgebiet der Wachau. Nach Christianisierung und Kolonisierung durch bayerische und oberbayerische Klöster erfuhr Weißenkirchen eine wirtschaftliche Blüte zur Zeit der Kreuzzüge. Den Verwüstungen während der Kriege gegen die Türkei, Schweden und Frankreich folgte ein neuerlicher wirtschaftlicher Aufschwung durch den Beginn der Donaudampfschiffahrt (1837).

Auf beherrschender Anhöhe erhebt sich die **Pfarrkirche Mariä Himmelfahrt**. Sie ist mit hohen Wehrmauern und Türmen befestigt und durch eine gedeckte Stiege vom Ort aus erreichbar. Die mächtige Kirche, im ältesten Bauabschnitt auf 1300 zurückgehend, war 1531 gegen die Türken befestigt worden. 1736 wurde sie durchgehend barockisiert. Besonders schön sind die grün-goldene Orgel, die kleinen Balkongitter der Empore und die holzgeschnitzte Schutzmantelmadonna (um 1520) mit noch originaler Fassung, ein Werk der Donauschule. Neben der Kirche findet man die älteste noch in Gebrauch stehende **Schule** Niederösterreichs. Sie gilt als historisches Kulturdenkmal und zeigt auf eingemauerter Plakette die Jahreszahl 1385. Der Ort besitzt ausgezeichnet erhaltene **Straßenbilder** mit zahlreichen Renaissance- und Weinhauerhäusern. Hier sind die namhaften bürgerlichen Höfe der Wachau: Der **Mang-Hof** mit einer Laube über einem großen Schwibbogen, der **Raffelsbergerhof** (vorher Flammhof), ein altes Schiffmeisterhaus und der **Haimingerhof**, ein wuchtiger spätgotischer Bau mit klobigem Breiterker auf Konsolsteinen sind einige davon. Der schönste erhaltene Renaissancehof aber ist der **Teisenhoferhof**, eine weitläufige, burgartig befestigte Anlage Anfang 16. Jh. Das Rundtor, durch Stäbe profiliert, und vor allem das schöne spätgotische Fenster links darüber geben stilistische Anhaltspunkte für die Entstehungszeit vor 1500. Die wehrhaft rechteckige Umschließung des Hofes ist jedenfalls der älteste Teil. Der Arkadenhof, der heute den besonderen Reiz des Bauwerkes ausmacht, zeigt die Jahreszahl 1542 und auch der vorgesetzte Breiterker der Bachgasse stammt aus dieser Zeit. Die Innenräume sind bis auf wenige durch spätere Umbauten so verändert, daß sie keinen ursprünglichen Eindruck mehr vermitteln, aber als sehr geglückter Rahmen für die darin untergebrachten Sammlungen des **Wachaumuseums** (geöffnet 1. April bis 31. Okt., tägl. außer Mo.; 10 – 17 Uhr, Tel. 22 68; Katalog und Literatur) gesehen werden müssen. Die **Bachgasse** war vor der Kanalisierung (1962) in charakteristischer Weise von einem Bach durchzogen. Ihre Windungen folgen noch dem alten Bachlauf, und das ist hier eines der besten Beispiele für diese Art von Straßenverlauf, die zum besonderen Reiz der malerischen Wachauorte beitragen.

WEITRA C 2

Höhe: 599 m ü. d. M. — Einwohner: 3095. — Postleitzahl: A-3970. — Telefonvorwahl: 0 28 56. — Auskunft: Stadtamt Weitra, Tel.: 23 78 (26 82).

Die romantische Kuenringerstadt Weitra liegt im nordwestlichen Waldviertel inmitten eines waldreichen Hügellandes.

Geschichte: Weitra ist eine Kuenringergründung. 1182 – 90 ist urkundlich eine erste Siedlung nachgewiesen (Alt-Weitra, 3 km nördlich). Zwischen 1201 und 1208 wurde die Siedlung nach Süden verlegt. Nach drei Aufständen der Kuenringer gegen die Landesregierung wurde Weitra 1296 landesfürstlich, die Kuenringer verloren ihr Territorium. Seit 1607 ist das Schloß in Besitz der Grafen bzw. Fürsten od. Landgrafen zu Fürstenberg. 1645 besaßen 33 Bürger von Weitra die Braugerechtigkeit. 1353 war die Stadt Schauplatz einer Fürstenversammlung. 1596 Belagerung durch aufständische Bauern. Im Dreißigjährigen Krieg konnte sich die Stadt erfolgreich verteidigen. Im österr. Erbfolgekrieg zogen Bayern und Franzosen durch, und im Zeitalter Napoleons kamen die Franzosen noch einmal. Erst in den fünfziger Jahren erlebte die Stadt nach den Rückschlägen der Weltkriege (Grenzziehung 1919) einen Aufschwung. Seit 1974 wurden die vielen alter Häuser mustergültig renoviert und saniert, und Weitra wurde damit zu einem der reizvollsten Orte des Waldviertels.

Die Altstadt umgibt der fast vollständig erhaltene **Mauerring**. Eine Umwanderung ist sehr zu empfehlen! Von den Toren ist nur das malerische **Obere Tor** (1526, Zinnen und drei Wappen: Kaiser/Stadt/Fürstenberg) erhalten. Die **Pfarrkirche St. Peter und Paul** stammt in den Grundmauern noch aus der Romanik. Die Gotik fügte Chor, Kapelle und zwei Seitenschiffe hinzu (Kreuz- bzw. Netzrippengewölbe). Der Hochaltar von 1749 ist eine qualitätvolle Arbeit des Johann Walser aus Budweis. Die barocke Kreuzkapelle ist vom Hauptraum durch ein kunstvolles Gitter getrennt. In der Barbarakapelle gibt es noch Reste von gotischen Glasfenstern. An den Seitenschiffwänden haben sich gotische Fresken erhalten. Das **Bürgerspital** (1340) liegt an der Lain-

Weitra, Am Oberen Tor

sitz. Die Kirche bildet eine malerische Baugruppe. Älteste Teile sind die beiden Ostjoche und das Presbyterium. Spitalgebäude barock (1729/31). Die Kirche erlangte ihre hervorragende Bedeutung durch die freigelegten gotischen Fresken. Auf dem höchsten Punkt des Felsplateaus erhob sich die alte Kuenringerburg. 1590 und 1606 ließ Wolf Rumpf das **Schloß** von Grund auf neu bauen. Nach einem Brand 1757 erhielt das Schloß seine heutige Gestalt. Der mächtige Komplex wird von einem wuchtigen Turm beherrscht. Kulturhistorisch ist vor allem das Schloßtheater interessant, seine Schmuckteile bestehen z. T. aus vergoldetem Pappmaché (1885). Sehenswert sind auch das 1892 errichtete **Rathaus**, der **Auhof** (Auhofgasse 120) mit spätgot. Balkendecke und das **Castelli-Haus** (Kirchplatz 117), das auf den Resten des 1520 erbauten Karners errichtet wurde (zwei spätgot. Portale). Das Haus **Rathausplatz 4** schmückt hervorragende Sgraffito-Kunst. Viele alte, sehr schön restaurierte Häuser sind ebenfalls zu beachten. An Denkmälern sind noch die **Dreifaltigkeitssäule** (18. Jh.), der Floriansbrunnen und ein St. Johannes v. Nepomuk vor dem Oberen Tor zu erwähnen.

4 km südlich der Stadt liegt **St. Wolfgang**, wo man sich die **Pfarrkirche** anschauen sollte. Dreischiffige Hallenkirche (1408) mit langem Chor. Maßwerkfenster, monumentaler barocker Hochaltar mit wertvollen gotischen Figuren, barocke Gemälde an den Seitenaltären vom Kremser-Schmidt.

3 km nördlich liegt **Unserfrau-Altweitra**. Sehenswert ist die **Pfarr- und Wallfahrtskirche Mariä Geburt** (dreischiffige gotische Hallenkirche um 1480). Herzstück der Kirche ist die innige **Statue der Gottesmutter** (um 1340). In Altweitra steht die bereits 1197 erwähnte romanische **Kirche St. Peter und Paul**.

4 km südöstl. liegt das Dorf **Spital** mit romanisch-gotischer **Malteserkirche**, in ihrem Turmquadrat sind äußerst bemerkenswerte Wandmalereien aus dem 14. Jh. freigelegt.

WIENER NEUSTADT G 6

Höhe: 265 m ü. d. M. — Einwohner: 40 000. — Postleitzahl: A-2700. — Telefonvorwahl: 0 26 22. — Auskunft: FVV Wiener Neustadt, Herzog-Leopold-Str. 17, Tel.: 35 31-3 98 (Dw.).

Wiener Neustadt liegt an einem Brennpunkt des mitteleuropäischen Verkehrs, an der Straße Wien-Triest, eingebettet zwischen voralpinen Höhenzügen und im Osten den Ausläufern der ungarischen Tiefebene benachbart. Die Stadt ist reich an historischen Bauten, geschichtlichen Erinnerungen und wertvollen Denkmälern.

Geschichte: 1194 wurde die Stadt von dem Babenberger Herzog Leopold V. gegründet. 1210 erhielt sie das Marktrecht. Es war die bedeutendste Stadtgründung der Gotik in Österreich und war als Bollwerk gegen Osten konzipiert. 1279 Weihe des Domes durch Bischof Johannes von Chiemsee. Das Bistum hatte bis 1784 Bestand. Im 15. Jh. war die Stadt unter Friedrich III. sogar Kaiserresidenz. 1487 eroberte der ungarische König Matthias Corvinus die Stadt. Der ritterliche Ungarnkönig ließ die eroberte Stadt weder plündern noch brandschatzen, sondern schonte die Bürger und ihren Besitz und überreichte ihnen (so die Tradition), um ihren außerordentlichen Verteidigungsmut zu ehren, den prachtvollen „Corvinusbecher", der als schönstes Werk spätgotischer Goldschmiedekunst bezeichnet wird (1462). König Maximilian I. eroberte die Stadt 1490 zurück, doch er residierte lieber in Innsbruck. Sein prunkvolles Grabmal steht auch dort, aber begraben ist er in Wiener Neustadt. In den Jahren 1529 und 1683 bedrohten die Türken die Stadt.

1752 gründete Kaiserin Maria Theresia in Wiener Neustadt die „Theresianische Militärakademie", aus der berühmte Leute hervorgingen (z. B. Erzherzog Johann und der spätere Generalfeldmarschall Rommel). Seit der ersten Hälfte des 19. Jhs. siedelte sich in der Stadt Industrie an. 1943 – 1945 wurde Wiener Neustadt durch Luftangriffe fast völlig zerstört. Der Wiederaufbau der Stadt nach dem Kriege muß als einzigartige Leistung bezeichnet werden, bei der auch zahlreiche alte Bauten aus Romanik, Gotik und Renaissance stilgerecht wiederhergestellt wurden. Heute ist Wiener Neustadt wieder eine der führenden Industriestädte und besitzt einen sehr sehenswerten Stadtkern!

Rundgang:
Vom Hauptbahnhof geht man durch den schönen **Stadtpark** (Reste der Stadtmauer mit **Jakoberturm,** 13./15. Jh.) bis zum malerischen

Wasserturm. Richtung Innenstadt kommt man in der Grazer Straße zur **Militärakademie.** Die alte Babenbergerburg des 13. Jhs. wurde im 14. Jh. umgebaut und durch Friedrich III. bedeutend erweitert. Ihre heutige Gestalt erhielt die Burg im 18. Jh. Von den Wehrtürmen ist nur der „Rákózyturm" erhalten. Im Norden schließt die **St.-Georgs-Kirche** an (1449 – 1460 von Peter von Pusika für Friedrich III. erbaut). Unter dem Hochaltar liegt das Grab Kaiser Maximilians I., der 1459 in der Burg geboren und in der Burgkapelle getauft wurde. Er starb 1519. Die Ausstattung der gotischen Kirche stammt aus dem 15. und 16. Jh. Das Mittelschiff überspannt ein Sternrippengewölbe mit Wappenschlußsteinen, an einem Pfeiler haben sich gotische Fresken erhalten und in den östlichen Maßwerkfenstern sehenswerte Glasmalereien aus der Mitte des 16. Jhs. Bemerkenswert im Vorhof sind die „Wappenwand" mit 107 Wappenreliefs und einer Statue Friedrichs III. (1453) und die Wappengalerie über dem Tor. Gegenüber der Burg lag das **Kaiserliche Zeughaus,** von dem aber nur Renaissancetore (1524) erhalten sind. Durch die Bahngasse kommt man zur **Kapuzinerkirche.** Der 1267 erwähnte Bau kam 1623 an die Kapuziner. Barockisierung im 17./18. Jh. Bemerkenswert von der Einrichtung sind zwei Sandsteinplastiken von 1340 (Madonna mit Kind, hl. Jakob). Durch die Singgasse am Stadttheater vorbei gelangt man zum **Hauptplatz** mit herrlichen gotischen und Renaissancehäusern. Die bedeutendsten Häuser am Platz sind die **Alte Kronenapotheke** (15. – 17. Jh. gotischer Erker, Laubengang) und das **Rathaus,** das 1401 erbaut, im 16. Jh. barock umgestaltet und 1834 mit einer klassizistischen Fassade versehen wurde. Einfahrtsgewölbe und Turm noch 16. Jh. Vor der **Mariensäule** (1678) findet vormittags ein **Obst- und Gemüsemarkt** statt, den man nicht versäumen sollte. Nach Überqueren der Grazer Straße steht man vor dem **Neukloster.** Das ehemalige Dominikaner- bzw. seit 1444 Zisterzienserkloster wurde 1659 nach einem Brand barock umgestaltet. Sehenswert sind die Eingangstore (17. Jh.), Laubenhof, Brunnenhof und mehrere Räume mit Freskenschmuck. Die **Neuklosterkirche** wurde 1250 erbaut und ist seit 1444 Zisterzienserklosterkirche. Das hohe Langhaus und der gotische Chor stammen noch aus dem 13./14. Jh. Beachtenswert sind der barocke Hochaltar (1699), das Chorgestühl (1600), die Barockorgel (1735), die Kanzel (17. Jh.), die Altarbilder von Paul Troger, Martin Altomonte, Unterberger und Solimena sowie viele alte Grabsteine (15. – 18. Jh.). Besonders zu bemerken ist das Tumbagrab der Kaiserin Eleonora von Portugal, der Gemahlin Friedrichs III., die 1467 starb. Nächstes Ziel ist der idyllische **Domplatz** mit schönen gotischen Bürgerhäusern. Mittelpunkt des Platzes und der Stadt ist der **Liebfrauendom,** die Stadtpfarrkirche Mariä Himmelfahrt. Aus der Romanik stammt die doppeltürmige hohe Westfassade mit Rundbogenportal und Bogenfries, das schön gestaffelte Tor an der Nordseite und das mit Zakken- und Rautenbändern geschmückte „Brautportal" an der Südseite. Chor und Querschiff sind Zutaten der Gotik. Die frühgotischen Kreuzrippengewölbe im Inneren gehören zu den ältesten Österreichs. Sehr schön die spätromanischen Säulenkapitelle. Ein Beispiel aus dem Übergang vom Rokoko zum Klassizismus ist der Marmorhochaltar (1769/76). Die prächtige marmorne Bildnisbüste von Kardinal Khlesl (1630) wird Giovanni Lorenzo Bernini zugeschrieben (rechte Chorwand). Zwölf gotische Apostelstatuen an den Säulen des Mittelschiffs und eine herrliche spätgotische Verkündigungsgruppe (1501) stammen von Lorenz Luchsperger. An einem Pfeiler des südl. Seitenschiffs steht die berühmte Holzskulptur des hl. Sebastian aus Luchspergers Werkstatt. Die Kanzel wurde 1609 geschaffen. An der linken Seite des Querschiffs liegt die Taufkapelle. Das zehneckige Taufbecken aus Marmor stammt aus dem Jahre 1472. Bemerkenswerte Grabmäler. Wenige Schritte nördlich liegt das ehemalige Dominikanerinnenkloster **St. Peter an der Sperr.** Das in der ersten Hälfte des 14. Jhs. erbaute Kloster erlebte im 15. Jh. einen Umbau durch Peter von Pusika. Das herrliche gotische Südtor zählt zu den formschönsten seiner Art. 1965 wurde das Kloster gründlich restauriert, und heute finden hier laufend Ausstellungen statt. Außerdem ist hier das 750 Jahre alte Stadtarchiv untergebracht. Ein Abstecher führt zum malerischen **Reckturm** (kleines Museum) und anschließend durch die Wiener Straße mit vielen alten Häusern zur ehemaligen **Jesuitenkirche St. Leopold,** einem stattlichen Barockbau von 1737/43. Wertvollstes Ausstattungsstück ist eine gotische Muttergottes aus dem 15. Jh. Die ehem. Jesuitenresidenz beherbergt seit 1912 das **Stadtmuseum.** Neben urgeschichtlichen, römerzeitlichen und volkskundlichen Sammlungen beherbergt das Museum auch den „Corvinusbecher" und ein wertvolles Evangeliar von 1325. Folgt man der Wiener Straße weiter nach Norden, kommt man rechter Hand an den Walther-von-der-Vogelweide-Park. Hier erhebt sich die bedeutendste gotische Gedenksäule Österreichs, **„Spinnerin am Kreuz",** errichtet 1383 bis 1384.

WIESELBURG C 4

Höhe: 250 m ü. d. M. — Einwohner: 3042. — Postleitzahl: A-3250. — Telefonvorwahl: 0 74 16. — Auskunft: Stadtgemeinde Wieselburg, Tel.: 23 19.

Die Stadt Wieselburg liegt am Zusammenfluß der Großen Erlauf und der Kleinen Erlauf im Alpenvorland am Eingangstor zum Urlaubsgebiet Ötscherland.

Geschichte: Die erste Nachricht über Wieselburg stammt aus dem Jahre 1399. Wahrscheinlich existierte das Marktschloß aber schon vor 1335 unter unbekannten Besitzern. 1415 erteilte Herzog Albrecht V. v. Österreich der Herrschaft Purgstall unter Reinprecht von Wallsee das Landgericht und den Blutbann, dem auch Wieselburg bis 1848 unterstand. Erster bekannter Besitzer des Schlosses ist 1461 Oswald Schirmer. Nach oft wechselnder Besitzschaft kam das Schloß 1823 an Kaiser Franz I. v. Österreich und nach dem 1. Weltkrieg an die Republik Österreich.

Die **Pfarrkirche St. Ulrich** beherrscht weithin das flache Land. Der alte Bau stammt aus romanischer und gotischer Zeit. Die alte Apsis steht wahrscheinlich auf römischen Grundmauern. Nach dem Brand 1952 wurde die Kirche durch einen neuen Teil erweitert. Ältester Teil ist das Oktogon mit Freskenresten aus der Erbauungszeit. Von der Ausstattung ist der marmorne Hochaltar aus der Kartause Gaming, ein alter Weihwasserbehälter und das Altarmosaik in neuen Chor zu erwähnen. Renovierte Taufkapelle mit gotischem Gewölbe. Einen großen Teil des Straßenplatzes nimmt das **Marktschloß** ein. Der heutige Bau stammt aus der Zeit um 1824. Hier hielt sich einst Joseph Haydn auf. Auch im **Schloß Weinzierl** (heute Landwirtschaftsschule) hielt sich einst Haydn auf (Gedenktafel 1757/59). Die runden Ecktürme mit Zinnen trugen früher Zwiebelhelme. Der dreigeschossige Bau stammt aus dem 17. Jh. Freistehende Kapelle von 1741.

YBBS an der Donau C 4

Höhe: 220 m ü. d. M. — Einwohner: 6000. — Postleitzahl: A-3370. — Telefonvorwahl: 0 74 12. — Auskunft: Stadtamt Ybbs, Tel.: 26 12 und 26 13.

Die Stadt liegt am rechten Donauufer, knapp oberhalb der Mündung der Ybbs in die Donau. Hier wurde das erste österreichische Donaukraftwerk erbaut (Ybbs-Persenbeug) mit Donaubrücke und zwei Schleusen. Dem damit verbundenen technischen Fortschritt wurde Schloß Donaudorf geopfert, das ca. 2 km nordwestlich der Stadt stand und heute vom Wasser des Kraftwerkes überflutet ist.

Geschichte: Eine römische Ansiedlung (ad Ivensem) wurde unter Kaiser Vespasian in der Nähe der Ybbsmündung, zweifellos in der Nähe oder an der Stelle der heutigen Stadt bereits gegründet. Urkundlich 837 Yparesburg, im 10. Jh. Ypsburg. Als die Grafschaft an die Babenberger gelangte, kam sie zu hoher Blüte. Seit 1309 im Besitz der Stadtrechte, besaß der Ort auch Stapel- und Uferrecht. Da hier die Salz- und die Eisenstraße an die Donau führten, wurde eine Mautstelle errichtet. Nach Rückgang der Stadt ab Mitte 15. Jh. und der Einbuße aller Privilegien, nach Verwüstungen durch Belagerungen und Kriege (1597, 1619), erhielt der Ort 1628 seine Rechte zurück und erlebte einen neuerlichen Aufstieg.

Die **Pfarrkirche St. Lorenz** ist eine spätgotische, dreischiffige Staffelkirche um 1490. Der gleichfalls spätgotische Chor (1512) wirkt hell und zierlich mit seinen charakteristischen Sternrippengewölben und umschließt den großen Hauptaltar mit seiner reich barocken Ausstattung. Das Chorgestühl (um 1700) ist besonders schön. Die noble Holzarbeit der Kanzel und der herrliche Orgelaufbau sind bemerkenswert; ebenso das gotische Temperabild in spätbarockem Rahmen „Maria auf der Mondsichel". Von der Donauterrasse, vor der Pfarrkirche liegt, hat man einen wunderbaren Blick bis nach Maria Taferl. An der Oberen Donauläne Nr. 5 findet man das ehemalige **Passauer Kastenamt,** das donauseitig sehr interessante und höchst wertvolle frühgotische Bauelemente aufweist. Interessant sind auch die hier angezeichneten Wasserstände der Donau: 1501/8 m, 1787/10 m usw. Das ehemalige **Schiffmeisterhaus** steht am gleichnamigen Platz (Haus Nr. 3) und stammt aus dem 16. Jh. Der vorgeschobene Rechteckturm stammt in seinem Baukern aus dem 14. Jh., ist jedoch im Inneren barockisiert. An dieser Stelle befand sich die einzige Durchfahrt durch die sonst dicht geschlossene Donaufront der Stadt. Auch Teile der alten **Stadtmauer,** wie Stadtgräben, Rundtürme und der **ehemaligen Burg** sind noch erhalten.

YBBSITZ C 5

Höhe: 404 m ü. d. M. — Einwohner: 4000. — Postleitzahl: A-3341. — Telefonvorwahl: 0 74 43. — Auskunft: Marktgemeinde Ybbsitz, Tel.: 3 40.

Wie im Bild aus einem Märchenbuch liegt Ybbsitz inmitten der herrlichen Bergwelt des Alpenvorlandes. Silbrig durchschneiden die klaren Wasser der Kleinen Ybbs und des Pollingbaches den malerischen Ort.

Geschichte: 1184 schenkte der Erzbischof von Magdeburg Wichmann einen Teil seines Besitzes, der etwa die heutige Pfarre Ybbsitz umfaßt, dem Stift Seitenstetten. Den Mönchen folgten neue Siedler aus Bayern. Sie benutzten die Wasserkraft der Kleinen Ybbs zum Betrieb von Schmiedehämmern und Schleifen. Die Schmiede trugen zum wirtschaftlichen Aufschwung bei. 1480 erhob Kaiser Friedrich III. den aufstrebenden Ort zum Markt. Heute ist Ybbsitz eine ländliche Gemeinde mit Industrie und Fremdenverkehr, und noch immer wird in den Hammerwerken Werkzeug aller Art erzeugt, das zum Teil in die ganze Welt geliefert wird. Die alten barocken Schmiedehäuser prägen das Ortsbild.

Sehr sehenswert ist die **Pfarrkirche St. Johannes d. T.** Die herrliche spätgotische Hallenkirche wurde 1489—1497 erbaut. Im Schiff achteckige Pfeiler mit Netz- und Sternrippengewölbe. Der prächtige Orgelchor hat eine Stabwerksbrüstung mit Fischblasen. Der kreuzrippengewölbte Chor wurde 1419 geweiht. Der prachtvolle Marmorhochaltar (Mitte 18. Jh.) stammt aus der Kartause Gaming, das Kreuzigungsgemälde von Martin Joh. Schmidt (1787). Zu erwähnen sind außerdem: ein spätgot. Vesperbild, der Altar der Marienkapelle (um 1650, Marienstatue 15. Jh.), die schöne spätgotische Kanzel mit barockem Schalldeckel und die Ratsherrenstühle von 1786.

ZISTERSDORF H 3

Höhe: 198 m ü. d. M. — Einwohner: 5800. — Postleitzahl: A-2225. — Telefonvorwahl: 0 25 32. — Auskunft: Stadtgemeinde Zistersdorf, Tel.: 4 01.

Die Stadt Zistersdorf liegt im Zentrum des Östlichen Weinviertels.

Geschichte: Erste urkundliche Erwähnung 1160. Die eigentlichen Begründer sind die Kuenringer. 1284 wird Zistersdorf bereits in einer Urkunde eine mit Ringmauern umgebene Stadt genannt. 1402 wurde sie von Heinrich von Chunstadt („Dürnteufel") geplündert. Von 1486 bis 1491 war Zistersdorf von Matthias Corvinus besetzt. 1645 herrschte die Pest zur Zeit der Schwedeneinfälle und es starben 1200 Personen. 1706 verwüsteten die Kuruzzen das Gebiet, der 17. Oktober 1706 ist der schwärzeste Tag in den Annalen der Stadt. 1810 kam die Stadt nach Aussterben der Grafen von Althan an die Theresianische Militärakademie.

Die **Pfarrkirche Kreuzerhöhung** wurde um 1620 erbaut und gehörte zum Stift Zwettl (ehem. Franziskanerkloster). Bemerkenswert sind die großen Wandaltäre mit Bildern von Bart. Altomonte im Querschiff. Der große Hochaltar und die Deckenfresken stammen ebenfalls aus dem 18. Jh. Der **Pfarrhof** ist das ehemalige Kloster aus dem 17. Jh. Vom mittelalterlichen Bau der **Stadtburg** ist nichts mehr zu sehen. Der heutige Bau zeigt den Zustand nach Umbauten im 16., 17., 18. Jh. Ansicht von der Stadtseite mit klassizistischem Haupttor (1810). Vom **Alten Rathaus** ist der barocke Turm erhalten. Sehr schön ist die **Dreifaltigkeitssäule** von 1747.

Im Osten der Stadt liegt die **Wallfahrtskirche Maria Moos.** Von der alten romanischen Kirche ist noch der Triumphbogen mit Rundwulst erhalten (Rest 13./14. Jh.). Im 18. Jh. erfolgte die Barockisierung. Der Hochaltar enthält ein Bild von Paul Troger (1753) und Figuren von J. Schletterer. Der Gnadenaltar beherbergt die Schmerzensmutter aus dem 15. Jh. Annenaltar: Bild von Paul Troger, Engel von J. G. Hueber. Von diesem stammen auch die Kanzel und die Orgel (alles 18. Jh.).

ZWETTL C 2

Höhe: 520 m. ü. d. M. — Einwohner: 11 600. — Postleitzahl: A-3910. — Telefonvorwahl: 0 28 22. — Auskunft: Stadtamt Zwettl, Landstraße 20, Tel.: 24 15 oder 24 16. Stift Zwettl: Tel.: 23 91/25 78/31 81.

Die zentrale Lage im Waldviertel macht die romantische Kuenringerstadt Zwettl zum geographischen und wirtschaftlichen Mittelpunkt dieser natürlichen Landschaft Niederösterreichs.

Geschichte: Zwettl ist eine Gründung der Kuenringer und wurde 1132 erstmals urkundlich erwähnt. Im Jahre 1200 wurde ihm durch Leopold VI. Stadtrechte verliehen. 1255/56 erfolgte auch die Verleihung eines Stadt- und Landgerichts. 1419 wurde Zwettl landesfürstliche Stadt und 1621 erhielt es die volle Selbständigkeit. Auch Stift Zwettl ist eine Kuenringergründung (1137/38). Zur Unterstützung bei der militärischen Befestigung des „Nordwaldes" holten sie Zisterziensermönche aus Heiligenkreuz. Die Mönche errichteten ein Kloster, das sie nach 20jähriger Arbeit beziehen konnten. Nach Schwierigkeiten durch Hussiten- und Schwedeneinfälle wurde das Kloster großzügig barockisiert, wobei aber glücklicherweise die meisten ursprünglichen Konventbauten erhalten blieben. Heute ist Stift Zwettl nach wie vor ein Haus des Gebetes, der Seelsorge, der Bildung (Sängerknabenkonvikt und Bildungshaus), ein bedeutender Arbeitgeber und eine Stätte hoher Kultur (Kuenringerausstellung 1981 mit fast 400 000 Besuchern).

Sehenswert in der Stadt ist die zum Großteil gut erhaltene **Stadtmauer** mit 6 Türmen, darunter der gewaltige **Antonsturm** und der **Schulturm** (mit zoologischer Sammlung). Auf dem Berg über der Stadt befindet sich die **Probsteikirche St. Johannes Ev.,** die als ursprüngliche Pfarrkirche mit der Kuenringerburg verbunden war und als romanische Anlage aus dem 12. Jh. stammt. Die barocke Einrichtung stammt aus dem 18. Jh. Auf dem Friedhof neben der Kirche steht der romanische **Karner** (13. Jh.) mit einem beachtenswerten Kuppelgewölbe (Fresken!). Auf der anderen Seite befindet sich die **Michaelskapelle** im romanisch-gotischen Übergangsstil. Fresken (1470—80). In der Stadt selbst sind sehenswert die **Pfarrkirche Maria Himmelfahrt** aus dem

13. Jh., zweitältestes Baudenkmal von Zwettl. Die Kirche war ursprüngl. eine dreischiffige romanische Pfeilerbasilika, im 15. Jh. Anbau von Chor und Turm und Einwölbung. Reiche Stuckornamentik aus dem 18. Jh., Hochaltar ebenfalls 18. Jh. und ein Schmerzensmann aus dem 15. Jh. Am Hauptplatz steht das **alte Rathaus,** von Leutholf v. Kuenring 1307 umgebaut, seit 1483 Rathaus. Die Fassade ist mit figuralen und ornamentalen Renaissance-Sgraffiti versehen. Auf dem Dreifaltigkeitsplatz steht die **Dreifaltigkeitssäule** von 1727. Das **Bürgerspital mit Kirche St. Martin** wurde schon 1295 gestiftet. Die dreischiffige spätgotische Hallenkirche hat ein schönes Gewölbe (17. Jh.), einen Hochaltar von 1678 und zwei spätgotische Figuren (16. Jh.) vorzuweisen. Der **Pernerstorferhof** (Landstraße 65) beherbergt das sehenswerte Anton-Museum, eine Privatsammlung (Volks- und Heimatkunde). Die **Nepomukkapelle** am Fluß ist ein kleiner Oktogonalbau von 1783. Viele **alte Bürgerhäuser,** die vorbildlich renoviert wurden, sind zu bestaunen.
Eine grüne Hinweistafel führt nach **Stift Zwettl** (3 km von der Stadt). Über eine **romanische Steinbrücke** (12. Jh.) kommt man zum Stift. Vorbei an **Spitalkirche** und **Spital** mit spätromanischem Baukörper gelangt man zu den Parkplätzen. Links der Straße die Stiftstaverne. Durch den Lindenhof führt der Eingang durch ein Steinportal zum **Abteihof,** einem Vierkantbau, der unter Abt Melchior Zaunagg nach Plänen von Josef Munggenast 1726 barockisiert wurde. Durch die **Klosterpforte** mit einer herrlichen Plastik der Muttergottes (1731) kommt man zum **Kreuzgang.** Er entstand 1200 – 1230 und zeigt sehr schön den Übergang von der Spätromantik zur Frühgotik. Besonders sehenswert sind das sechseckige **Brunnenhaus,** das älteste **Kapitelhaus** Österreichs (12. Jh.), die **Kunstkammer** mit einmaligen Schätzen (roman. Reliquienkreuz 1180) und das romanische **Dormitorium** (Schlafgemach der Mönche, 1159), an das sich das **Necessarium** (ältestes WC) anschließt. Vom Kreuzgang gelangt man in die gotische Hallenkirche, die **Stiftskirche Mariä Himmelfahrt.** Die Kirche umgibt ein aus dem 14. Jh. stammender **Kapellenkranz.** In einer dieser Kapellen steht der berühmte **spätgotische Flügelaltar** mit Tafelbildern aus dem Leben des hl. Bernhard aus dem 15. Jh. Es ist ein Werk von Jörg Breu dem Älteren. Im Schrein befinden sich drei kunstvolle Holzplastiken. Der prunkvolle barocke **Hochaltar** wurde nach einem Entwurf Josef Munggenasts errichtet. Besichtigung: Mai – Sept., Führungen: Mo. – Sa.: 10, 11, 14, 15, 16 Uhr. Im Winter nur gegen Voranmeldung (mind. 10 Personen).

Die Donau und die Wachau im geographischen Überblick

Rund 35 km lang ist sie, die sagenumwobene Wachau, die Strecke, auf der die Donau in einem über 400 m tiefen Einschnitt das Kristallin des böhmischen Massivs durchbricht. Auf der in Flußrichtung rechten Stromseite steigen felsdurchsetzte Waldhänge empor, auf der linken meist lößbedeckte Weinterrassen. Daß ein Strom, und mag er noch so breit und mächtig sein, zur wirklichen Landschaft wird liegt fast ausschließlich am Zusammenspiel mit seinen Uferformen. Wie ganz anders ist die Donaulandschaft in Bayern als im Tullner Feld, bei Linz als bei Maria Taferl. Um mit trockenen Worten die Wachaulandschaft zu charakterisieren, müßte etwa gesagt werden: In eine wellige Hochfläche tief eingeschnitten, fließt mit einigen kleineren und größeren Windungen ein 200 bis 300 m breiter Strom und bildet waldige mit Weingärten, Wiesen und Felsen durchsetzte Hänge, bei einem Höhenunterschied von 300 bis 750 m. Es ist ein hinreißender Eindruck, wenn der Strom in schönen Windungen das bergige Land durchzieht. Steile Felsen und sanft geneigte Matten, kühl-dunkle Schattenflächen und lichte Pracht der Sonnenseiten zeigen ihr reizvolles Wechselspiel in den Bögen, die der Strom zieht. Wie er sich windet, so baut er einmal links, einmal rechts in seine Bögen flaches Land, um auf der anderen Seite die Berge enger an sich zu ziehen. Wer diese Flußlandschaft nur im Talboden durchwandert oder durchfährt, lernt sie nur halbwegs kennen. Man muß auch die Eigenartigkeit und Schönheit der den Strom begleitenden Berge betrachten, die eigentlich Abstürze eines Hochlandes sind, das die Donau hier links und rechts einsäumt. Erst dann, wenn man vom Sandel, vom Jauerling, zumindest von der Ruine Dürnstein oder Aggstein die Nähe und Ferne ansieht und von den oberen Hängen betrachtet, wie die Seitentäler und Gräben gleich Fenstern die verschiedenartigsten Einblicke ins Tal gewähren, wird man die Wachau in ihrer ganzen Schönheit erfassen. Die Urform ihrer Berge und Hügel mit ihren sanften oder steilen Abhängen ist durch ihre Terrassenlagen umgebildet in eine Kulturlandschaft eigenwilligster Prägung. Nicht der Löß ist hier das Auffallende, obwohl er Grundlage für den Weinbau ist und die zwingende Ursache für den Bau der waagrechten Terrassen. Der Hauptton dieser Landschaft liegt in der Waagrechten und ihrer tausendfältigen Wiederholung. Das auffällige Gegenspiel zwischen schräg und waagrecht läßt uns immer wieder auf die Weinberge schauen und ihren Linien nachgehen. Die Waagrechte ist hier gewissermaßen zum Symbol der Arbeit geworden, herausgetragen aus der Werkstatt an die Sonne und ihrem Licht ausgebreitet. Die Fluren des Getreide- und Wiesenbaus bleiben in ihren naturumgebenen Lagen und schwingen ihre Flächen in gleicher Weise wie die Hügel und Berge. Hier aber ist wohltätiger Zwang, Umformung, Neugestaltung, die um so auffälliger wirken, als unmittelbar daneben unberührte Natur vielfach in wildester Form stehen geblieben ist. Zu dieser Eigenart und

Schönheit kommt der Vorzug eines außergewöhnlich milden Klimas. Die mittlere Jahrestemperatur beträgt in Krems (220 m Meereshöhe) 8,8 Grad. Frosttage hat Krems im Mittel 75, Schneetage nur 25, Nebeltage 47. Die Schneedecke hält sich in Krems höchstens fünf bis sechs Wochen. Die Stadt wird das österreichische Nizza genannt. Beste Weine, Pfirsiche und Marillen wachsen im Freiland. Doch gibt es im Tal kleine Unterschiede: Stehen in Krems die Pfirsich- und Marillenbäume frei im Garten, werden sie schon in Melk an den warmen Südwänden der Häuser gezogen. Der Weinbau hört oberhalb von Spitz auf, wesentliche Einnahmequelle zu sein.

Um sich ein Bild der Gesamtheit dieser Landschaft zu machen muß man auch wissen, welche Vielfalt ihre Pflanzenwelt kennzeichnet. Au und Wald, Wiese und Feld, Steppe und wüstes Land finden wir hier. Wo der Auboden z. B. durch Ablagerung von Silit und Sand und durch Bildung von Humus fruchtbar wird, erwächst die Pappelau. Sie zeichnet sich aus durch mächtige Exemplare von Silber- und Schwarzpappeln, und wenn auch der wichtigste Baum der Auen die Grauerle ist, die zum großen Teil den Brennholzbedarf der Bauern deckt, so prägen sich doch als hauptsächliches Bild dieses Gebiets die lichtdurchfluteten Pappelreihen ein.

Die Wälder, die die Hänge der Landschaft bedecken sind entweder Laub-Mischwälder oder reine Föhrenwälder. Die Bergwälder aber sind ihr prächtigster Schmuck; und wenn man die Rotbuche, die sich in dem feuchten, nährstoffreichen und lockeren Boden, in diesem ausgeglichenen Klima angesiedelt hat, im Herbst leuchtend und brennend sieht, dann ist man beeindruckt von ihrer Farbigkeit

Breit und mächtig zieht die Donau in der Ebene dahin. Bei Aggsbach ist das Tal am engsten und der Strom hat bei 200 m Breite mehr als 8 m Tiefe, dagegen ist er bei Weißenkirchen nur noch 4,5 m tief, aber schon 350 m breit. Nach Krems wird er im weiträumigen Tullner Feld immer breiter, um dann vor seiner Regulierung bei Altenwörth viele Seitenläufe zu bilden.

Das wechselnde Bild des Stromes, die Vielfältigkeit der Landschaft und die vollkommene Harmonie dieses schönsten Abschnitts der Donau lassen die Wachau als eines der romantischsten Stromtäler Europas gelten.

Geologie

Das riesige Kristallingebiet im Nordosten Österreichs gehört zur Böhmischen Masse. An ihrem geologischen Aufbau sind ehemalige Sedimente aus dem Präkambrium und Paläozoikum beteiligt, in die verschiedene Generationen von Tiefengesteinen (Plutonite) eingedrungen sind. Durch unterschiedliche Absenkung und Aufheizung wurden die Gesteine umgewandelt. Während der Gebirgsbildungen wurden ausgedehnte Bereiche gefaltet und übereinandergeschoben, so daß heute Zonen von verschiedenem Stoffbestand und Umwandlungsgrad beobachtet werden. Hebung und Abtragung des Gebirges schufen das um die 600 m Seehöhe aufragende Mittelgebirge, in welches sich die Flüsse, vor allem die Donau, tief eingeschnitten haben. Im Süden und Osten taucht die Böhmische Masse unter die Sedimentgesteine der Molassezone unter und läßt sich in Bohrungen bis tief unter dem Alpenkörper nachweisen.

Das Kristallin der Böhmischen Masse zwischen Ispertal und Dunkelsteinerwald wird Moldanubikum genannt. Der westlich der Linie Zwettl-Ispertal auftretende Weinsberger Granit (vgl. geolog. Übersicht) stellt einen im Devon (Erdaltertum) eingedrungenen Tiefengesteinskörper dar, der in der Erdkruste steckenblieb und erst durch die Abtragung freigelegt wurde. Das ehemals glutflüssige Magma verursachte an den Kontaktzonen Veränderungen des Nebengesteins (Kontaktmetamorphose). Die Gesteine des Kristallins der Böhmischen Masse wurden im Zuge der Gebirgsbildungen höheren Druck- und Temperaturbedingungen ausgesetzt. Dadurch wandelte sich das Ausgangsgestein um. Aus Sedimenten wurden metamorphe Gesteine. So entstand aus ursprünglich sandig-tonigen Gesteinen der Perlgneis. Der feinkörnige Granulit, der die Hauptmasse des Dunkelsteinerwaldes bildet, stellt ebenfalls einen erstarrten Tiefengesteinskörper dar, der bis auf 760° C aufgeheizt wurde.

In diesen Festlandsblock der Böhmischen Masse greifen von Süden und Osten die Sedimente des tertiären Molassemeeres ein, das den Nordrand des Alpenbogens begleitete.

In geologisch jüngerer Zeit (Quartär) war der Donauraum von den Eiszeiten nur indirekt betroffen. Die Böhmische Masse war eisfrei, die klimatischen Verhältnisse hatten jedoch auch hier ihren Einfluß. Die Donau schnitt sich tief in das kristalline Grundgebirge ein und schuf den landschaftlich einzigartigen Durchbruch, die Wachau. In den Talläufen sammelten sich große Schottermengen. Nach tektonischen Hebungen vertiefte sich das Flußsystem durch die Schürftätigkeit des Wassers. Dies führte zur Anlage von Terrassen. Im Vorland der Alpengletscher wurden große Mengen von Staub und Sand ausgeblasen. Die ausgedehnten Lößfelder sind Zeugen dieser Umlagerung.

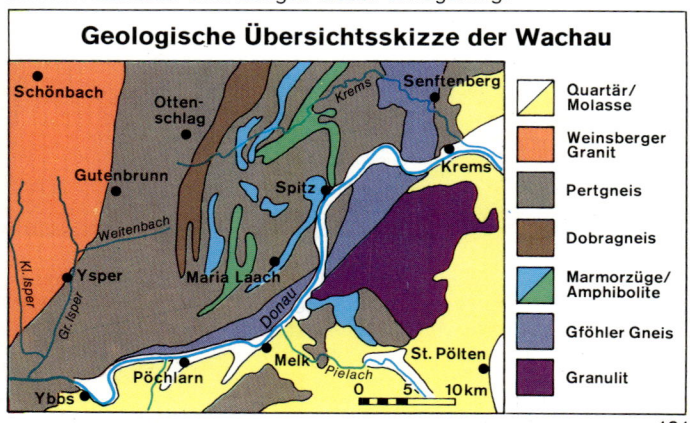

Geologische Übersichtsskizze der Wachau

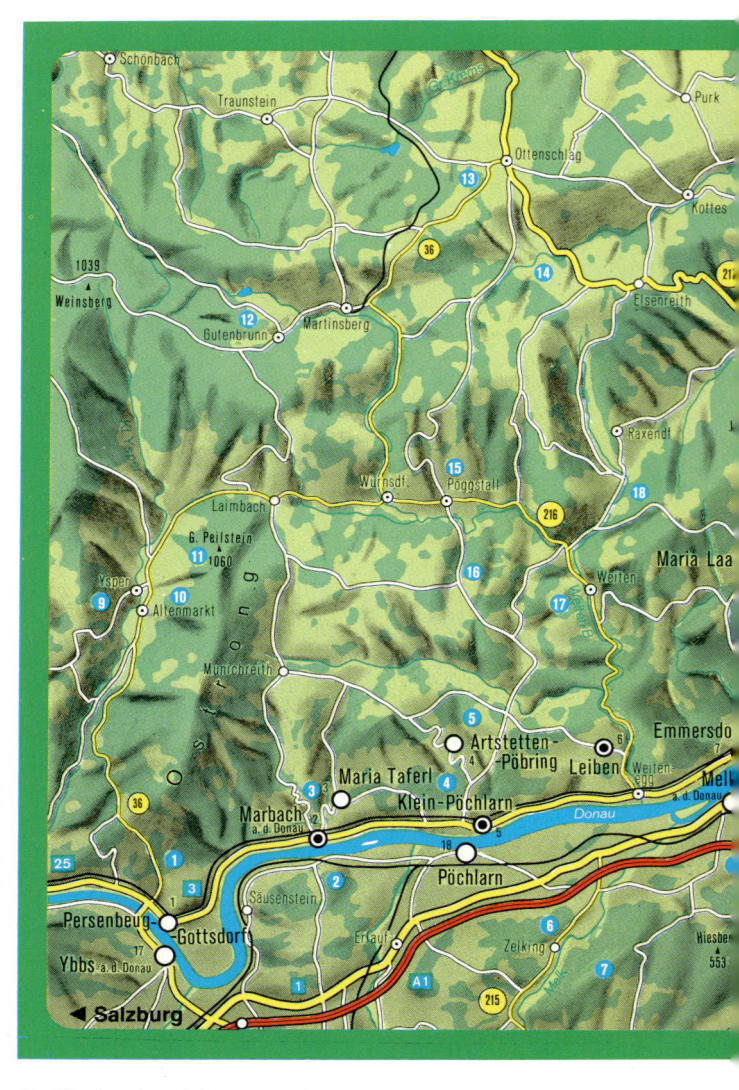

Als **Wachau** bezeichnet man den ca. 35 km langen, stromabwärts gelegenen Donauabschnitt von Melk bis Krems in Niederösterreich. Donauaufwärts, von Ybbs bis Melk, schließt der 19 km lange, sagenumwobene **Nibelungengau** an. Im Norden tritt das **Waldviertler Granitplateau** eng an den Fluß. Im Südosten liegt die waldreiche Gegend des Dunkelsteinerwaldes. Die Wachau ist von Wien in knapp 2 Stunden über Korneuburg – Stockerau und das Tullner Becken schnell erreichbar. Von Westen und der Bundesrepublik Deutschland bietet sich die A1 bis zur Anschlußstelle Melk als ideale Anfahrtsroute an. Verwaltungs- und Einkaufszentren sind die Bezirkshauptorte **St. Pölten, Melk und Krems a. d. Donau.**

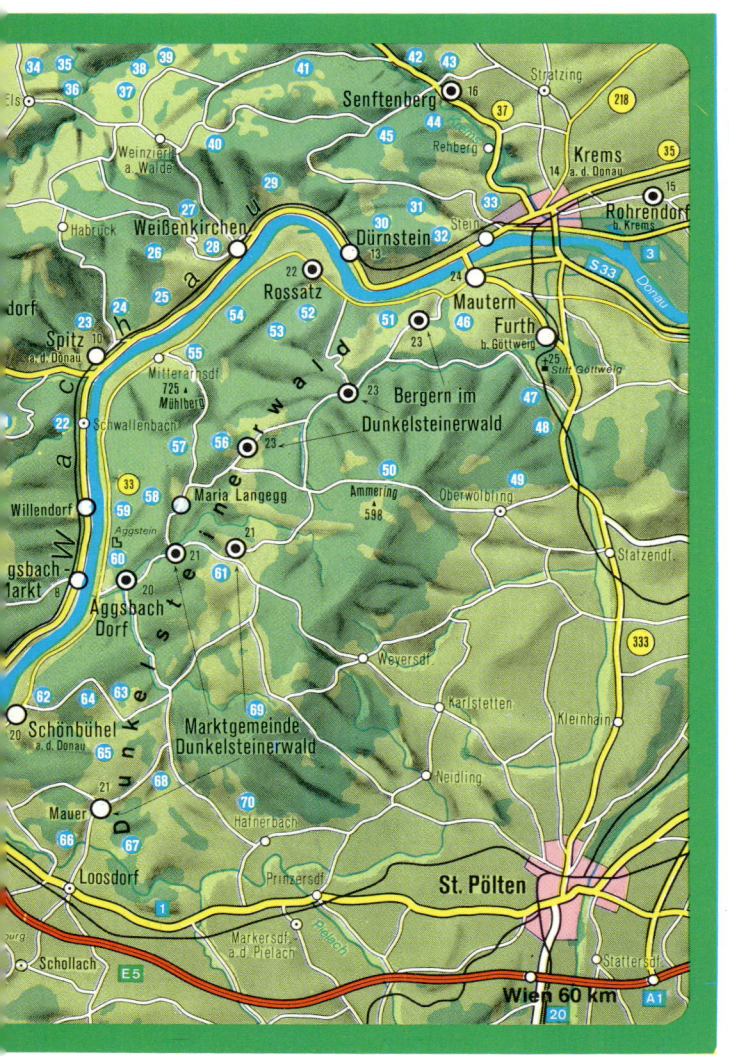

Die Entwicklung der Baustile

Österreich ist ein Land, in dem die Kunst schon immer eine bevorzugte Heimstätte hatte. Stärker noch als Politik oder Wirtschaft war sie zwar nicht Voraussetzung, doch selbstverständliche Zielsetzung aller Bemühungen im Leben der Gemeinschaft. Die politische Macht der Fürsten fand ebenfalls ihren Ausdruck in künstlerischen Bauleistungen, vorwiegend Bauwerken, deren Vollendung der Bauherr meist nicht erlebte. Ein Stift wie Göttweig oder Melk ging weit über den Zweck hinaus, einer damals kleinen Bevölkerung religiöses Leben zu gewähren. Sie waren monumental über jeden Bedarf oder Zweck erhaben, aus religiösen und machtpolitischen Motiven in langen Jahren errichtet und im Ergebnis „Kunst". Das Erstaunliche ist dabei die Dichte dieser künstlerischen Erscheinungen in Niederösterreich, das außergewöhnliche Niveau der Leistung, das durch etwa 1000 Jahre gehalten werden konnte. Das Phänomen einer merkwürdig einheitlichen Ausrichtung in allen Sparten der Bevölkerung auf das, was wir heute Kunst nennen, ist damit angedeutet.

Die frühesten Spuren künstlerischer Betätigung begegnen uns in der Wachau schon in der Altsteinzeit, und zwar mit der bei einer Ausgrabung gefundenen „Venus von Willendorf". Am Kalkstein hat ein Mensch der Altsteinzeit mit erstaunlich sicherer Hand die Figur des Weiblichen, Mütterlichen geschaffen. Welches seine Motive auch gewesen sein mögen, es ist ihm dabei etwas Ungewöhnliches gelungen: ein Bild, etwas Bleibendes, die Bewahrung, die Rettung eines Wertes aus den Fesseln der Vergänglichkeit und vor dem Verfließen der Zeit.

Zu Beginn der **Jungsteinzeit** (ca. 3. Jh. v. Chr.) zeichnen sich bedeutsame Veränderungen in der Entwicklung des Menschengeschlechtes ab, die zur Ausbildung eines Bauerntums mit festen Wohnbauten in dörflichen Siedlungen führen. Die bäuerlichen Stämme der donauländischen „Bandkeramiken" lösen die Jäger und Fischer der mittleren Jungsteinzeit ab. Durch Feldbestellung (im primitiven Hackbau) und Haustierzucht macht sich der Mensch von den Zufälligkeiten der Jagd unabhängig. Er wird in gewissem Maße seßhaft, schafft sich Geräte aus behauenem Feuerstein, entwickelt nun auch ein Schmuckbedürfnis als Zeichen einer verfeinerten Lebensform. Die naturalistische Darstellung der älteren Steinzeit weicht einer linear geometrischen Auffassung, der das Abbild fremd ist und die aus freier Hand geformte und über dem Feuer gebrannte Tongefäße schafft. Diese einfachsten häuslichen Gebrauchsgegenstände sind schon verziert, und zwar mit entschlossenen hingekratzten Linien. Nordische Kultureinflüsse brachten Henkelschalen, scharfkantig profilierte Tassen und flache Steinbeile.

Der erste Import der Bronze erfolgte um ca. 1700 v. Chr. und sie wurde ebenfalls zuerst für Waffen und Schmuck verwendet.

Die aus dem böhmisch-mährischen Raum in die Wachau und den Nibelungengau gelangte **Urnenfelderkultur** (1200 – 800 v. Chr.) ist durch Siedlungsgrab, Einzel- und für Notzeiten angelegte Depotfunde dokumentiert. Spezifisch war damals die Brandbestattung. Nach der Totenverbrennung wurde die Asche in typischen Urnen beigesetzt, kleine Bronzegegenstände wurden mitgegeben.

Mit der nachfolgenden **Hallstattkultur** (800 – 400 v. Chr.) kam das erste Eisen in das Land und es wurde zunächst für Messer und Schwertklingen verwendet.

Um 400 v. Chr. kamen von Westen her erste Keltenscharen stromabwärts gezogen und brachten ihre typische **La-Tène-Kultur** mit: Elegante, erstmals auf der Drehscheibe erzeugte Keramiken, weit ausladende Flaschen und Schalen aus Ton, Bronzeschmuck mit feinliniger Ornamentik. Im 1. Jh. n. Chr. spielten sich große Entscheidungen ab. Die Donau wurde zur Südgrenze des Germanenreiches und zugleich Nordgrenze des gewaltigen Römischen Weltreichs.

Frühe mittelalterliche Kunst

Für die meisten Epochen der Kunstgeschichte gibt es Benennungen, die bei aller Zufälligkeit und Willkür ihres Ursprungs dennoch die betreffende Zeit begrifflich charakterisieren oder geographisch lokalisieren. Der heute immer mehr gebräuchliche Ausdruck „frühmittelalterlich" umschreibt dagegen nur die zeitliche Einordnung einer Epoche, die zu den undurchsichtigsten der abendländischen Kulturgeschichte gehört.

Romanik (ca. 1000 – 1250)

Kennzeichen der Romanik sind mächtige Mauern und Gewölbe. Die Innen- und Außenwände erfahren eine immer reichere Gliederung durch Wandvorlagen, Blendbögen, Nischen usw. Die Gewölbe experimentieren mit Kuppelwölbungen, Rund- und Spitztonnen, quadratischen und rechteckigen Kreuzgratgewölben.

Das normale Schema der Raumbewältigung beruht auf dem „gebundenen" — quadratischen System und geht aus vom Vierungsquadrat. Die Stützen, häufig eine Verbindung von Pfeiler und Halbsäulen, entsprechen weitgehend nicht mehr den Proportionen der antiken Säulen. Es werden nur Rundbögen verwendet (Ausnahme Burgund).

Zur plastischen Bearbeitung und zur Aufgliederung der Wände dienen in zunehmendem Maße Skulpturen. Als Material wird vorwiegend Werkstein, Marmor, Backstein und Holz verwendet.

Beispiele: Reste der romanischen Burgkapelle in Dürnstein
　　　　　　Gründungsmauern von Melk und Göttweig
　　　　　　Minoritenkirche in Stein
　　　　　　Langhaus der Dominikanerkirche in Krems
　　　　　　(heute Museum).
　　　　　　Margaretenkapelle in Mautern

Beispiel der einzigen erhaltenen Stadtburg: Gozzoburg bei Krems

Früh- und Hochgotik (ca. 1230—1520)

Durch Erfindung des Rippengewölbes wendet man sich ab vom quadratischen System und erzwingt eine einheitliche Verwendung von Spitzbögen. Gleichzeitig löst man die Wände weitgehend auf in einen Stützen- und Gliederbau, es entstehen große Fensterflächen. Die verdrängten Wandmassen erscheinen als Strebepfeiler und Bögen am Außenbau.

Die Architektur erhält jetzt gegenüber der Romanik den Charakter von Schwerelosigkeit und Immaterialität, und durch die absolute Steigerung der Höhe verschwinden nunmehr die letzten Reste antiker Maßverhältnisse.

Als Material werden hauptsächlich Backstein, Marmor (Italien) und Holz verwendet.

Beispiele:
Kartause in Aggsbach-Dorf
Pfarrkirche in Emmersdorf
Kapelle Maria Laach
Schnitzaltar in Mauer
Pöchlarn, Spitz

Fast alle Kirchen der Wachau wurden zur Zeit der Gotik neu erbaut oder vergrößert und auch mit reicher Ausstattung versehen.

Z. B. Ölbergrelief in Pöchlarn (nach 1400)
Fresken in St. Nikola, Mautern
Melker Kreuz, Stift Melk

Auch kostbare Glasmalereien wurden geschaffen, wovon sich in Göttweig schöne Reste erhalten haben.

Ein eigenes Kapitel sei noch dem Stil gewidmet, den man „Donauschule" nennt. Große Werke der Steinbildhauerei stammen aus dieser Zeit des Übergangs der spätesten Gotik zur frühesten Renaissance, z. B. der Lentl-Steinaltar (Museum Krems); die Grabplattenreliefs der Äbte in Göttweig und das plastische Altmannsgrab; wertvolle Grabreliefs an der Pfarrkirche von Stein, Spitz, Grein, Ardagger usw.

Renaissance (ca. 1510—1630)

Die volle Wiederaufnahme der in der Antike benützten Bauelemente (Säulen, Pilaster, Gebälk, Tympanon etc.) und damit der antiken Maßverhältnisse. Innen- und Außenbau sind möglichst übereinstimmend, dadurch entstehen sehr einheitliche Baukörper. Sparsame Dekorationen, um die Klarheit der Räume und Baukörper nicht zu beeinträchtigen. Vorwiegendes Material ist Werkstein.

Beispiel:
Das herausragendste Beispiel der Renaissance-Baukunst ist die Schallaburg mit ihrem terracottageschmückten Arkadenhof und ihren wunderbaren klaren Türstürzen. In Emmersdorf unter anderem das Haus Nr. 31. Die Häuser in Weißenkirchen.

Es entstand in dieser Zeit ein merkwürdiger Typ des Bauern- und Bürgerhauses, der in größeren Ortschaften ganze Straßenzeilen umfaßte. Sein Charakteristikum ist das auffallende Folgen jeder Weg- oder Gassenkrümmung. Dies verleiht den Orten noch heute ihren unvergleichlichen Reiz, weil nirgends der Eindruck planmäßiger Straßenführung aufkommt. Dazu entstehen in dieser Zeit Laubengänge und Erker — spezielle Bauformen des süddeutschen Raumes. Auch die Dekoration der Bürgerhäuser mit bilderreichen oder ornamentalen Sgrafitti oder mit buntem Freskendekor sind eine Eigenheit der bürgerlichen Bauweise in dieser Zeit.

Barock (ca. 1600 – 1750)

Die Bauelemente bleiben dieselben wie in der Renaissance, sie werden nur reicher, plastischer und bewegter. Alle Räume wirken dadurch dynamischer; Aktion und Pathos bestimmen das Kunsthandwerk.
Der barocke Rausch der Bewegung entfaltet sich am Kontrast, wird aber in einer höheren Einheit überwunden; das Ideal ist die Synthese. Unter Führung der Architektur, die wie im Mittelalter den ersten Platz einnimmt, vereinen sich Malerei, Plastik, Dekoration und Gartengestaltung.
Das Barock wird zur hervorragendsten Epoche österreichischer Kunstentfaltung und seine herausragendsten Künstlerpersönlichkeiten sind: Lukas von Hildebrandt, Jakob Prandtauer, Joseph Munggenast, Martin Johann Schmidt (Kremser Schmidt) und Anton Maulpertsch, um nur einige zu nennen.

Beispiele:
Stift Melk   Stift in Dürnstein
Stift Göttweig   Kellerschlössel in Dürnstein
Pfarrkirche in Dürnstein   Dreifaltigkeitssäulen in Stein, Krems

Rokoko (ca. 1730 – 1770)

Die letzte Phase des Spätbarock verwischt noch mehr die Grenzen zwischen Architektur, Plastik und Malerei, sie schafft Räume von fließender Bewegtheit und in den Deckengemälden die Illusion des offenen Himmels. Reichstes, spielerisches Dekor, gelöste Farben und eine bis in die letzten Möglichkeiten verfeinerte Form- und Farbgestaltung machen sein Wesen aus.

Klassizismus/Romantik
(ca. 1770 – Ende des 18. Jahrhunderts)

Die Rückführung der Architektur auf einfachste Grundformen. Sparsame und kleinere Gliederungen und Dekorationen. Die Bewegtheit der Baukörper wird zurückgenommen; das Bauwerk soll abstrakt wirken; seine Teile werden funktional aneinandergefügt, nicht organisch entwickelt; die Symbolkraft der Architektur liegt nun im Gedanken. Seine Stilmerkmale sind antike Formen, vor allem der klassischen griechischen Tempel, die in bewußter Reaktion gegen Barock und Rokoko nachgeahmt werden.

Beispiele:
Häuser in Persenberg, Mautern, Stein, Krems.

Der Klassizismus wird bald vom gleichsam privaten Stil des **Biedermeier** abgelöst, der bis zum Ende des 19. Jahrhunderts hauptsächlich in der Inneneinrichtung und im musikalischen Leben des Bürgertums seine Höhepunkte erreicht.
Um die Wende zum 20. Jahrhundert verändert sich das Bauwesen grundlegend; es wird technisch, funktionell, und die Tradition verschwindet.
In der Wachau setzt sich trotzdem eine Gruppe vorzüglicher Maler und Zeichner durch, deren zentrales Thema romantische Wachauer Ansichten sind (Gellert, Supprantschitsch und Simony etc.). Doch die neue Zeit beginnt auch hier, und es klingen neue Elemente an; man spricht nicht mehr von einer speziellen Kunstrichtung.

Kleines Lexikon der Fachausdrücke

Achse: Durch ein Gebäude gehende, gedachte Linie, meist symmetrisch.

Ädikula: Rahmung von Tür oder Fenster, durch einen Giebel bekrönt.

Akanthus: Zierform am korinthischen Kapitell und seinen Abwandlungen in Form einer Pflanze mit gezackten Blättern.

Apsis: Standort des Altars im Chorhaupt, meist halbkreisförmig.

Architrav: Über der Säulenstellung durchlaufender Balken, meist aus Stein.

Arkatur: Die von Säulen oder Pfeilern getragene Bogenstellung.

Atrium: Vorhalle, Vorhof, auch Innenhof.

Attika: Über dem Gesims einer Säulenreihe befindliche Mauerzone.

Attische Basis: Fuß einer Säule oder eines Pfeilers in typ. Hohlkehlung zwischen Wülsten.

Baptisterium: Taufkirche.

Basilika: Besondere Form eines Kirchenbaues, dessen Mittelschiff höher als die Seitenschiffe ist und durch eigene Fenster beleuchtet.

Basis: Grundmauer oder Fuß einer Säule, meist reichgeschmückt.

Bergfried: Unter den Türmen einer Burg der Hauptturm.

Beschlagwerk: In Nachahmung bandeiserner Zierbeschläge genannte Mauerornamente.

Blendarkade: Zierbogen, der unmittelbar einer Wand aufliegt (auch Blendbogen), nicht freistehend.

Blendmaßwerk: Unmittelbar an der Wand aufliegende gotische Fensterteilung.

Chor: Raum vor dem Hochaltar, der nur der Geistlichkeit vorbehalten war und wo sich auch das Chorgestühl befand. Er ist oft von abweichender Breite gegenüber dem Kirchenschiff.

Dachreiter: Ein Türmchen, das auf dem Dachfirst sitzt.

Diptychon: Zwei Altar(bild)tafeln, die durch die Scharniere verbunden sind (Triptychon = 3 Tafeln).

Doppelkapelle: zweigeschossige Kapelle.

Dorisch: Griechisches Säulenkapitell = flach, keine ausgeprägte Basis.

Emblem: Sinnbild.

Emporenbasilika: Basilika mit Emporen über den Seitenschiffen.

Epitaph: Wanddenkmal, Grabmal an der Kirchenwand.

Fassung: Bemalung um Türe, Fenster etc.

Gaube: Ein Dachfenster mit eigenem Dächlein, das stark hervortritt.

Gebälk: Eine durchlaufende Steinlage über der Säulenordnung.

Gewölbe: Tonnengewölbe ist meist von halbkreisförmigem Querschnitt. Kreuzgratgewölbe.

Grisaille: Malerei in Graufarben.

Gurtbogen: Der Gurtbogen dient zur Verdeutlichung der Jocheinteilung und zeigt quer zur Längsachse Verstärkungsbögen.

Halbsäule: Eine im Querschnitt halbkreisförmige und aus der Wand hervortretende Säule.

Hallenkirche: Die Gewölbe aller Schiffe besitzen die gleiche Scheitelhöhe.

Ionisch: Griechisches Säulenkapitell mit Voluten.

Joch: Das Grundrißelement ist gleichartig und meist bestimmt vom Grundmaß der Vierung. Die Einteilung wird durch die Wandgliederung und durch die Gurtbogen verdeutlicht.

Kämpfer: Am Ansatz des Bogens oder des Gewölbes sichtbare Steinlage; auch über dem Kapitell.

Kapitell: Oberster Teil einer Säule oder eines Pfeilers.

Kartusche: Eine oft phantasievoll ausgestaltete Fläche; Träger von Wappen oder Initialen.

Klangarkaden: Schallöffnungen im Glockengeschoß des Kirchturms.

Klausur: Der Teil eines Klosters, der nur den Ordensmitgliedern vorbehalten war.

Korinthisch: Griechisches Säulenkapitell mit Akanthus.

Kreuzgang: Von einer Seite der Kirche ausgehender, gedeckter Gang um den Klosterhof.

Krüppelwalm: Satteldach mit angeschrägten Giebelspitzen.

Krypta: Gewölbter Raum unter dem Chor der Kirche; Grabgewölbe.

Ligatur: Eine in alten Inschriften häufige Zusammenziehung von Buchstaben. Meist beliebig.

Lisene: Flach- und bandförmig aufliegendes Gliederungselement von Wänden, das weder Basis noch Kapitell hat.

Maßwerk: Gotische Zierform der ornamentalen, geometrischen Fensterteilung.

Mensa: Deckplatte eines Altars.

Mezzanin: Zwischengeschoß.

Obergaden: Der die Fenster enthaltende obere Teil der Mittelschiffswand.

Oratorium: Kleine Privatkapelle.

Palas: Wohnteil und -bau einer Burganlage.

Pfeilerbasilika: Die Arkatur des Schiffes ruht auf Pfeilern.

Pieta: Vesperbild.

Pilaster: Pfeilerförmige Verstärkung oder Gliederung der Wände.

Piscina: Taufbecken.

Polygon: Vieleck.

Polyptychon: Mehrere Altarbildtafeln, durch Scharniere verbunden.

Predello: Sockel des Altaraufsatzes

Profan: z. B. Profanbau = weltlicher Bau, dem kirchlichen Zweck entfremdet.

Prospekt: z. B. bei Orgeln die sichtbare Front.

Refektorium: Speiseraum eines Klosters.

Risalit: Ein vortretender Bauteil, der sich über die volle Höhe eines Gebäudes erstreckt.

Rocaille: Leitform des Rokoko; Kartusche in Muschelform.

Sakral: Kirchlich, geistlich.

Säulenbasilika: Eine Basilika, deren Arkatur von Säulen getragen wird.

Scheitelrippe: Bei mehrteiligen Gewölben die Nebenrippe.

Schlußstein: Stein im Scheitel eines Bogens, der formal ausgebildet ist.

Schwibbogen: Freistehender Bogen zum Abstützen der Wand.

Sgraffito: In Kratzputztechnik erfolgte Fassadendekoration. Die verschiedenfarbigen Putzschichten werden übereinander aufgetragen. Dann erfolgt die Zeichnung der Motive durch Einritzen.

Spornanlage: Burg auf einer Bergnase.

Staffel: Predella.

Stufenhalle: Mittelschiff höher als die Seitenschiffe, jedoch ohne Lichteinfall durch diese. Keine eigene Beleuchtung.

Stützenwechsel: Regelmäßiger Wechsel von Säule und Pfeiler.

Supraporte: Dekorativer Aufsatz eines Türsturzes.

Tabernakel: Gehäuse zur Aufbewahrung der Hostie.

Trakt: Flügel oder abgesonderter Teil eines Baues.

Traufgesims: Das mit Wasserspeiern oder -durchlässen versehene Sims längs der Dachtraufe.

Triptychon: Drei Altarbildtafeln, durch Scharniere verbunden. Sehr häufiger Altaraufsatz.

Tumba: Grabmal.

Türsturz: Waagrechter Abschluß der oberen Türöffnung.

Tympanon: Türbogenfeld über dem Türsturz.

Vesperbild: Figur Mariens, die den toten Christus auf dem Schoß hält.

Vierung: Raumteil der Kirche, wo sich Langhaus und Querschiff treffen und kreuzen.

Vierungsturm: Turm über der Vierung.

Volute: Schneckenförmiges Schmuckelement.

Wimperg: Gotische Zierform.

Würfelkapitell: Kapitell von würfelartiger Form.

Zäsur: Einschnitt.

Zentralbau: Alle Bauteile sind vom Grundriß her auf ein gemeinsames Zentrum bezogen.

Zwerggalerie: Kleiner Laufgang, meist unter dem Dachansatz umlaufend.

Die römischen Zahlen

I	1	X	10	C	100
II	2	XX	20	CC	200
III	3	XXX	30	CCC	300
IV	4	XL	40	CD	400
V	5	L	50	D	500
VI	6	LX	60	DC	600
VII	7	LXX	70	DCC	700
VIII	8	LXXX	80	DCCC	800
IX	9	XC	90	CM	900
		XCIX	99	M	1000

Als Beispiel: MCMLXXXIV = 1984

Die römischen Zahlenzeichen für 5, 10, 50, 100, 500 und 1000 sind vermutlich aus griech. Buchstaben entstanden, und zwar wurde verwendet:

Φ (ph) in der Form $\mathcal{P}$, (I), M für 1000 (also nicht Abk. von mille!); D (die Hälfte von ϑ) für 500; Θ (th), C für 100 (also nicht Abk. von centum!); Ψ (ps), L für 50; X (ch) für 10; v, V (die Hälfte von X) für 5.

Alphabetisches Verzeichnis der beschriebenen Orte und Objekte:

Die in (runde) Klammern gesetzten Namen geben den Ort an, in dem die Beschreibung im **Textband** zu finden ist.
Die in eine [eckige] Klammer gesetzten Zahlen und Buchstaben verweisen auf die Lage der Orte (Planquadrat) in der **Autokarte**.

Aggsbach Dorf (Schönbühel – Aggsbach) [D 4], S. 108
Aggsbach Markt [D 4], S. 12
Aggstein, Ruine (Schönbühel – Aggsbach) [D 4], S. 108
Albrechtsberg an der Großen Krems [D 3], S. 14
Alland [F 5], S. 15
Allentsteig [D 2], S. 15
Allentsgschwendt (Albrechtsberg) [D 3], S. 14
Allhartsberg (Amstetten) [BC 4], S. 18
Altenburg [E 2], S. 16
Altenmarkt an der Triesting [F 5], S. 17
Altweitra (Weitra) [C 2], S. 120
Amstetten [BC 4], S. 18
Arbesbach (Rapottenstein) [C 3], S. 97
Ardagger [B 4], S. 19
Artstetten [C 4], S. 20
Aspang [F 7], S. 21
Asparn an der Zaya [G 2], S. 22

Bad Deutsch-Altenburg [HI 4], S. 23
Baden bei Wien [F 5], S. 23
Bad Vöslau [FG 5], S. 25
Bergern im Dunkelsteiner Wald [D 3], S. 26
Berndorf [F 5], S. 27
Bisamberg (Korneuburg) [G 3], S. 63
Bockfließ [H 3], S. 27
Breitenfurt [F 4], S. 28
Bruck an der Leitha [H 5], S. 28
Brunn am Walde (Albrechtsberg) [D 3], S. 14
Burgschleinitz (Eggenburg) [E 2], S. 33

Carnuntum (Petronell-Carnuntum) [HI 4], S. 91

Drosendorf an der Thaya [E 1], S. 29
Dürnstein [D 3], S. 30

Eckartsau [H 4], S. 32
Eggenburg [E 2], S. 33
Eibenstein (Drosendorf) [E 1], S. 29
Eisgarn (Litschau) [C 1], S. 72
Emmersdorf an der Donau [D 4], S. 34
Engelhartstetten [HI 4], S. 35
Erla (St. Pantaleon) [B 4], S. 102
Ernstbrunn [G 3], S. 35

Falkenstein (Laa an der Thaya) [G 2], S. 67
Fallbach (Gnadendorf) [G 2], S. 45
Ferschnitz [C 5], S. 36
Frankenfels (Kirchberg a. d. Pielach) [D 5], S. 59
Furth bei Göttweig [E 3], S. 37

Gaming [C 5], S. 38
Gänserdorf (Bockfließ) [H 3], S. 27
Gars am Kamp [E 2], S. 39

Geras [E 1], S. 40
Gloggnitz [EF 6], S. 42
Gmünd [C 2], S. 43
Gnadendorf [G 2], S. 45
Gobelsburg (Langenlois) [E 3], S. 68
Göllersdorf [F 3], S. 45
Göttweig, Stift (Furth b. Göttweig) [E 3], S. 37
Grafenegg, Schloß (Hadersdorf a. Kamp) [E 3], S. 49
Gresten i. Ötscherland [C 5], S. 46
Großreinprechts (Albrechtsberg) [D 3], S. 14
Groß-Siegharts (Raabs a. d. Thaya) [D 1], S. 96
Großweikersdorf (Göllersdorf) [F 3], S. 45
Gumpoldskirchen [FG 5], S. 46
Guntersdorf [F 2], S. 47
Gutenstein [EF 6], S. 48

Haag [AB 4], S. 48
Hadersdorf am Kamp [E 3], S. 49
Hafnerbach [D 4], S. 50
Hafnerberg (Altenmarkt a. d. Triesting) [F 5], S. 17
Hainburg an der Donau [I 4], S. 50
Hardegg an der Thaya [E 1], S. 51
Hausleiten [F 3], S. 53
Heidenreichstein [C 1], S. 53
Heiligenkreuz [F 5], S. 55
Heiligenkreuz-Gutenbrunn (Herzogenburg) [E 4], S. 56
Herzogenburg [E 4], S. 56
Hernstein (Markt Piesting) [F 5 – 6], S. 92
Hoheneich (Gmünd) [C 2], S. 43
Horn [E 2], S. 58

Imbach (Senftenberg) [D 3], S. 113

Kaja, Ruine (Hardegg a. Thaya) [E 1], S. 51
Karlslust, Schloß (Hardegg a. Thaya) [E 1], S. 51
Kirchbach (Rapottenstein) [C 3], S. 97
Kirchberg am Wechsel [F 7], S. 59
Kirchberg an der Pielach [D 5], S. 59
Kirchschlag in der Buckligen Welt [G 7], S. 60
Klein Mariazell (Altenmarkt a. d. Triesting) [F 5], S. 17
Kleinzwettl (Heidenreichstein) [C 1], S. 53
Klosterneuburg [FG 4], S. 61
Kollmitzberg (Ardagger) [B 4], S. 19
Kollmitzgraben, Ruine (Raabs a. d. Thaya) [D 1], S. 96
Korneuburg [G 3], S. 63
Krems [E 3], S. 64
Kreuzenstein, Burg (Korneuburg) [G 3], S. 63
Kühnring (Eggenburg) [E 2], S. 33

Laa an der Thaya [G 2], S. 67
Langenlois [E 3], S. 68
Langenzersdorf (Korneuburg) [G 3], S. 63
Laxenburg [G 5], S. 69
Leiben [D 4], S. 70
Lilienfeld [E 5], S. 71
Litschau [C 1], S. 72
Loich (Kirchberg a. d. Pielach) [D 5], S. 59
Loiwein (Albrechtsberg) [D 3], S. 14
Loosdorf (Gnadendorf) [G 2], S. 45
Loosdorf (Mauer bei Melk) [D 4], S. 78
Lunz am See [C 6], S. 73

Mailberg (Guntersdorf) [F 2], S. 47
Mannersdorf (Bruck an der Leitha) [H 5], S. 28
Marchegg [HI 4], S. 74
Maria Dreieichen (Rosenburg) [E 2], S. 100
Maria im Gebirge (Geras) [E 1], S. 40
Maria Laach [D 4], S. 74
Maria Langegg (Bergern im Dunkelsteiner Wald) [D 3], S. 26
Maria Lanzendorf (Laxenburg) [G 5], S. 69
Maria Taferl [C 4], S. 76
Mauerbach [F 4], S. 77
Mauer bei Melk [D 4], S. 78
Mautern an der Donau [E 3], S. 79
Mayerling (Alland) [F 5], S. 15
Melk [D 4], S. 81
Michelstetten (Asparn a. d. Zaya) [G 2], S. 22
Mistelbach [G 2], S. 85
Mittelberg (Langenlois) [E 3], S. 68
Mitterarnsdorf (Rossatz) [D 3], S. 101
Mödling [G 5], S. 85
Mühldorf (Spitz a. d. Donau) [D 3], S. 113

Neuhofen a. d. Ybbs (Amstetten) [BC 4], S. 18
Neukirchen am Ostrong (Pöggstall) [C 4], S. 94
Neunkirchen [F 6], S. 87
Neustadl Markt (Ardagger) [B 4], S. 19
Niederweiden, Schloß (Engelhartstetten) [HI 4], S. 35

Obergrafendorf (Kirchberg a. d. Pielach) [D 5], S. 59
Oberhöflein (Geras) [E 1], S. 40
Obermeisling (Albrechtsberg) [D 3], S. 14
Orth an der Donau [H 4], S. 88
Ottenstein, Burg (Rastenfeld) [D 2], S. 98

Perchtoldsdorf [FG 4], S. 89
Pernegg (Geras) [E 1], S. 40
Persenbeug – Gottsdorf [C 4], S. 90
Petronell-Carnuntum [HI 4], S. 91
Pielachtal [D 4 – 5], S. 59
Piesting – Dreistetten [F 5 – 6], S. 92
Pillichsdorf (Bockfließ) [H 3], S. 27
Pöchlarn [C 4], S. 93
Pöggstall [C 4], S. 94
Pölla (Altenburg) [E 2], S. 16
Poysdorf (Laa an der Thaya) [G 2], S. 67
Pulkau [E 2], S. 95

Raabs an der Thaya [D 1], S. 96
Rabenstein (Kirchberg an der Pielach) [D 5], S. 59
Raisenmarkt (Alland) [F 5], S. 15
Rapottenstein [C 3], S. 97
Rastenberg, Ruine (Rastenfeld) [D 2], S. 98
Rastenfeld [D 2], S. 98
Retz [F 2], S. 99
Riegersburg, Schloß (Hardegg a. d. Thaya) [E 1], S. 51
Rohrau (Bruck a. d. Leitha) [H 5], S. 28
Rosenburg am Kamp [E 2], S. 100
Rossatz [D 3], S. 101

St. Andrä a. d. Traisen (Herzogenburg) [E 4], S. 56
St. Johann (Rossatz) [D 3], S. 101
St. Pantaleon [B 4], S. 102
St. Peter in der Au [B 5], S. 103
St. Pölten [DE 4], S. 103
St. Wolfgang (Weitra) [C 2], S. 120
Schallaburg [D 4], S. 106
Scheibbs [C 5], S. 108
Schiltern (Langenlois) [E 3], S. 68
Schloßhof, Schloß (Engelhartstetten) [HI 4], S. 35
Schönborn, Schloß (Göllersdorf) [F 3], S. 45
Schönbühel-Aggsbach [D 4], S. 108
Schrattental (Retz) [F 2], S. 99
Schrems (Gmünd) [C 2], S. 43
Schwarzenbach a. d. Pielach (Kirchberg a. d. Pielach) [D 5], S. 59
Seebenstein (Neunkirchen) [F 6], S. 87
Seitenstetten [B 5], S. 112
Senftenberg [D 3], S. 113
Seyfrieds (Heidenreichstein) [C 1], S. 53
Sierndorf (Stockerau) [FG 3], S. 115
Sonntagberg (Waidhofen an der Ybbs) [B 5], S. 117
Spitz an der Donau [D 3], S. 113
Staats (Laa an der Thaya) [G 2], S. 67
Starrein (Geras) [E 1], S. 40
Stockerau [FG 3], S. 115
Streitwiesen (Pöggstall) [C 4], S. 94
Strögen (Altenburg) [E 2], S. 16

Thenneberg (Altenmarkt a. d. Triesting) [F 5], S. 17
Traiskirchen [G 5], S. 115
Traismauer (Herzogenburg) [E 4], S. 56
Tulln [F 3 – 4], S. 116

Ulmerfeld (Amstetten) [BC 4], S. 18
Unserfrau (Weitra) [C 2], S. 120

Waidhofen an der Thaya [D 1], S. 116
Waidhofen an der Ybbs [B 5], S. 117
Waldenstein (Gmünd) [C 2], S. 43
Weißenbach (Heidenreichstein) [C 1], S. 53
Weißenkirchen [D 3], S. 119
Weitra [C 2], S. 120
Weiten (Leiben) [D 4], S. 70
Weitenegg (Leiben) [D 4], S. 70

143

Wiener Neustadt [G 6], S. 122
Wieselburg [C 4], S. 124
Wildberg, Burg (Horn) [E 2], S. 58
Willendorf (Aggsbach) [D 4], S. 12
Wullersdorf (Guntersdorf) [F 2], S. 47
Würnsdorf (Pöggstall) [C 4], S. 94

Ybbs an der Donau [C 4], S. 125
Ybbsitz [C 5], S. 126

Zistersdorf [H 3], S. 126
Zöbing (Langenlois) [E 3], S. 68
Zwettl [C 2], S. 127

Für Ihre Ausflüge und Wanderungen empfehlen wir unsere bewährten:

KOMPASS-Wanderkarten:

K 207 Wachau — Nibelungengau 1:50 000
K 209 Wienerwald 1:30 000

mit Einzeichnung der markierten Wanderwege.

KOMPASS-Wanderbücher:

K 979 Wachau — Nibelungengau
K 980 Wienerwald

Umfang: 128 Seiten, durchgehend vierfarbig gedruckt mit je 70 Wandervorschlägen.

KOMPASS-Kulturreiseführer:

K 970 Die Wachau und ihre Sehenswürdigkeiten

Umfang: 80 Seiten, vierfarbig gedruckt mit Ortsplänen und einer ausführlichen Beschreibung der Baudenkmäler.

In allen Buchhandlungen erhältlich.